CÓMO DIRIGIR EL CAMBIO EN LAS ORGANIZACIONES

Guía práctica para gerentes

Cynthia D. Scott
y
Dennis T. Jaffe

Conviértase en el agente efectivo para el cambio

Versión en español de la obra *Managing Organizational Change*
por Cynthia D. Scott y Dennis T. Jaffe
Edición original en inglés publicada por Crisp Publications, Inc.
Copyright © 1989 en Estados Unidos de Norteamérica.
ISBN 0-931961-80-7

Traductor: Julio Galindo B.
Editor: Nicolás Grepe Philp
Producción: Claudia Martínez A.
Portada: Rafael Mendoza de Gyves

Grupo Editorial Iberoamérica, S. A. de C. V.
Nebraska 199. Col. Nápoles
C. P. 03810 México, D. F.
Teléfono: 5 23 09 94. Fax: 5 43 11 73
e-mail: geimex@mpsnet.com.mx.
http://vitalsoft.org.org.mx/gei
Reg. CANIEM 1382

ISBN 970-625-037-9

Impreso en México/*Printed in Mexico*

PREFACIO

El actual es un tiempo de gran agitación empresarial, en el que las instituciones antiguas y formales se encuentran repentinamente con que tienen que volverse muy flexibles.

—Peter Drucker

El cambio en la empresa se ha convertido en una de tantas modalidades de la vida. Las fusiones, adquisiciones, despidos, modificaciones a las leyes, reducciones de tamaño y nuevas tecnologías, al igual que la creciente competencia, son acontecimientos cotidianos. Usted, como gerente y líder, debe afrontar el desafío de mantener el buen desempeño en condiciones caóticas. Es posible que su fuerza de trabajo esté confusa y descorazonada, que se resista al cambio. La segu-ridad de un empleo, la lealtad a la compañía y el desarrollo progresivo de una carrera han dejado de ser las recompensas por el buen desempeño. En tales cir-cunstancias, ¿qué puede hacer para organizar una fuerza de trabajo productiva y con alicientes para actuar?

Las habilidades y estrategias que se plantean en este libro lo ayudarán a:
- Comprender su papel en el cambiante sitio de trabajo
- Explorar cómo será el sitio de trabajo del futuro
- Dirigir el cambio de la cultura empresarial
- Comprender y manejar al personal durante el cambio
- Proporcionar liderazgo para el cambio
- Valerse de los acontecimientos empresariales para manejar la transición
- Tratar con la resistencia de personas y grupos
- Negociar nuevos arreglos de trabajo
- Encontrar los errores comunes
- Preparar a su grupo para el cambio
- Dominar el cambio

Este libro le proporciona, paso por paso, los consejos y las actividades que podrá aplicar para hacerse un eficaz **Líder del Cambio** en su organización.

¡Buena suerte!

Dra. Cynthia D. Scott

Dr. Dennis T. Jaffe

ACERCA DE ESTE LIBRO

CÓMO DIRIGIR EL CAMBIO EN LAS ORGANIZACIONES no se parece a la mayoría de los libros. Se diferencia de los demás en un aspecto importante. No es un libro para leerse —es un libro destinado para *ser utilizado*. Por su singular característica de velocidad "autorregulable" y sus numerosas hojas de trabajo, estimula el interés del lector por probar de inmediato varias ideas nuevas.

Este libro introduce los importantísimos elementos constitutivos de la manera de realizar con éxito la tarea de dirigir a su equipo durante el cambio. El uso de las sencillas pero seguras técnicas que presenta, puede modificar notablemente su capacidad para ayudar a sus subordinados a afrontar los traumas del cambio de la manera más positiva posible.

CÓMO DIRIGIR EL CAMBIO EN LAS ORGANIZACIONES (y otros títulos que se enlistan al final de este libro) se puede utilizar eficazmente de diversas maneras. He aquí algunas posibilidades:

—Estudio Personal. Puesto que es un libro para la autoenseñanza, todo lo que se requiere es un lugar tranquilo, un poco de tiempo y un lápiz. El lector que realice las actividades y los ejercicios, no sólo recibirá una valiosa retroalimentación sino que aprenderá los pasos básicos para el perfeccionamiento de sí mismo.

—Talleres y Seminarios. Es un libro ideal para lectura previa a un taller o seminario. Ya vistos los aspectos básicos, la calidad de la participación mejorará y se podrá dedicar más tiempo durante el programa a las ampliaciones y aplicaciones de los conceptos. Es también de utilidad cuando se distribuye al principio de una sesión de manera que los participantes puedan ir viendo el contenido.

—Capacitación en lugares remotos. Se pueden enviar los libros a quienes no puedan asistir a las sesiones de capacitación que se lleven a cabo en la "oficina matriz".

Hay otras posibilidades que dependen de los objetivos, las ideas y el programa del usuario. Una cosa es indudable: incluso después de haber sido leído, este libro seguirá siendo consultado —y brindando materia de reflexión— una y otra vez.

CONTENIDO

"Cómo dirigir el cambio en las organizaciones" está basado en los programas de dos talleres interactivos: *El Dominio del Cambio* y *El Manejo del Aspecto Humano del Cambio*. Estos talleres fueron desarrollados en colaboración con Flora/Elkind Associates, una de las principales firmas de capacitación y desarrollo. Los programas han sido implantados en grandes empresas de todo el país, con el fin de ayudar a miles de administradores y empleados a aprender las habilidades que se necesitan para manejar el cambio.

INTRODUCCIÓN

CÓMO APROVECHAR AL MÁXIMO ESTE LIBRO

Trabajando con los administradores y líderes de varias empresas, los autores descubrieron que, muchas veces el proceso del cambio empresarial resulta amenazante y produce confusiones. Con todo, la mayoría de las organizaciones han dedicado sólo una ligera atención al manejo del capital humano durante el transcurso de los períodos de cambio. Una obra clásica sobre fusiones y adquisiciones consagra únicamente cuatro páginas a la cuestión de lo que se debe hacer con el personal de la empresa durante los períodos de cambio. Muchas compañías han descubierto que, aunque movieron los escritorios no han logrado conmover los corazones de los empleados que trabajan en ellos. Cuando esto sucede, los directivos se sienten frustrados por la resistencia y la falta de productividad imperantes entre la fuerza de trabajo. Este libro describe estrategias y habilidades que serán de utilidad a los gerentes en la inmensidad del cambio.

Todo cambio es único y requiere un enfoque especializado para garantizar que los resultados sean positivos. No existe ninguna lista de pasos infalibles; dependiendo de la situación, usted, como gerente, tiene que experimentar y adoptar medidas específicas. Lo invitamos a que, cuando ponga en marcha un cambio en su empresa, utilice como guía la **Lista de Verificación del Cambio** que encontrará en este libro.

El manejo del cambio es un conocimiento nuevo. Cuando asistíamos a la escuela de administración de empresas, ninguno de nosotros tomó un curso llamado Cambio 101. Por lo que a ello se refiere, todos somos descubridores e inventores. Empero, con la ayuda de los fundamentos contenidos en este libro —más su sentido común y buen juicio— usted podrá convertir sus ideas en resultados positivos cuando se enfrente al cambio.

COMPRENSIÓN DEL CAMBIO EN LA EMPRESA

El ritmo del cambio empresarial va en aumento. Varios estudios recientes indican que:

▶ Las compañías esperan reducir su fuerza de trabajo 15% en promedio.

▶ En un año reciente, las cien fusiones más grandes realizadas en los Estados Unidos afectaron a cuatro y medio millones de trabajadores.

▶ En los últimos cinco años, más de doce mil compañías y divisiones corporativas estadounidenses han cambiado de dueños.

▶ 70% de las fusiones terminan en fracasos financieros.

▶ La tendencia a las adquisiciones va en aumento; es dos veces más grande que hace tres años.

▶ Algunas empresas (como sucedió con las grandes casas de bolsa) han reducido su nómina en porcentajes considerables durante los años recientes.

▶ La industria manufacturera de los Estados Unidos necesita aumentar espectacularmente su productividad para conservar su competitividad en relación con la industria extranjera.

> *"La empresa adaptable necesita una nueva clase de liderazgo. Necesita gerentes de adaptación dotados de un conjunto totalmente nuevo de habilidades no lineales. Sobre todo, el administrador adaptante de la actualidad tiene que... estar dispuesto a pensar más allá de lo imaginable —a formarse nuevos conceptos de productos, procedimientos, programas y propósitos antes de que una crisis vuelva inevitable el cambio radical.*
>
> *Aun advertidos del inminente cataclismo, la mayoría de los gerentes siguen viendo los negocios como de costumbre. Sin embargo, la actitud de que la actividad económica es predecible resulta peligrosa en un entorno que, para propósitos prácticos, está permanentemente convulsionado."*
>
> *Alvin Toffler,* **The Adaptive Corporation**

¿QUÉ CAMBIOS HA EXPERIMENTADO?

Tómese un momento para marcar los cambios a los que se haya enfrentado en los últimos dos años:

- ☐ Cambios de tecnología
- ☐ Ciclos de producto acelerados
- ☐ Fusiones
- ☐ Adquisiciones
- ☐ Liquidaciones
- ☐ Despidos
- ☐ Reducciones de tamaño
- ☐ Apertura de nuevas divisiones o compañías
- ☐ Ramificaciones
- ☐ Cambios de la alta dirección
- ☐ Cambios de cultura: nuevas políticas, valores, expectativas
- ☐ Modificaciones legales
- ☐ Reorganizaciones
- ☐ Competidores serios y nuevos
- ☐ Obligaciones empresariales mayores

Agregue los de usted:

- ☐ _____
- ☐ _____
- ☐ _____

"ACABAN DE REDUCIRNOS DE TAMAÑO"

SITIO DE TRABAJO 2000 - RECUERDO DEL FUTURO

Durante los años sesenta, la definición de la capacidad administrativa se basaba en técnicas administrativas específicas de planificación, programación y control. Actualmente, la capacidad se basa más en actitudes, métodos, principios y valores, así como en la habilidad para idear mejoras en la salud, la innovación y la productividad. Hoy en día, el gerente se desempeña en un ambiente distinto, y debe administrar de manera distinta. Debe ser un **administrador del cambio**, o, como se recomienda en este libro, un **líder del cambio**.

El liderazgo del cambio no es una habilidad que esté reservada en exclusiva para los altos directivos. Conforme las empresas luchan por responder a las presiones de la competencia (entre ellas la del entorno económico global), usted y su equipo de trabajo tienen que aprender a actuar con rapidez para alcanzar estándares más altos y una mayor productividad. ¿Es posible? En muchas organizaciones es determinante porque si no se tiene éxito puede suceder que la empresa no sobreviva.

Durante los últimos años, muchos cambios de gran alcance han echado raíces en el sitio de trabajo. Si bien los aspectos específicos pueden variar, el cambio está ocurriendo en más sitios de trabajo y a un ritmo cada vez más rápido. Las razones no son atribuibles sólo a "la moda". La premisa de todas las nuevas estrategias es el hecho de que hoy en día las empresas necesitan estar organizadas para el cambio constante. Durante el cambio, las estructuras, alicientes y presiones que privan en la empresa son muy diferentes de las del proceso tradicional. Las empresas modernas le piden a cada persona que asuma más responsabilidades y reconocen un valor especial a los equipos de trabajo que están más prestos a colaborar. Incluso la estructura de algunas organizaciones se hace más plana y menos jerarquizada.

*LAS EMPRESAS EXITOSAS NO SON SORDAS, CIEGAS
NI MUDAS EN RELACIÓN AL FUTURO*

UNA MIRADA HACIA EL AÑO 2000

Se presentan a continuación algunos de los elementos que muy probablemente se podrán ver hacia el año 2000 en casi todas las organizaciones. Marque los que haya notado en su empresa.

He notado:

☐ Más participación de los empleados en todos los niveles de la toma de decisiones
☐ Un énfasis creciente en el "trabajo que tiene significado"
☐ Más responsabilidad para los empleados en lo personal
☐ Menos gerentes y más participación a través de equipos autodirigidos
☐ Una tendencia hacia la participación de los empleados en las utilidades o la propiedad de la empresa
☐ Gran atención al capital humano, demostrada por la inversión en adiestramiento, adiestramiento repetido y desarrollo de habilidades
☐ Un ambiente que estimula más confianza y respeto mutuos
☐ Un aumento en la protección de los derechos de los empleados
☐ Programas en apoyo del equilibrio entre el trabajo y la familia
☐ Un estímulo creciente para el aprendizaje y la creatividad fuera del sitio de trabajo, mediante planes de reembolsos de cuotas y honorarios de enseñanza
☐ Mejores reconocimientos y recompensas por desempeño superior
☐ Grupos gerenciales más pequeños
☐ Una mayor diversidad de la fuerza de trabajo, en la que figuran más mujeres y miembros de las minorías
☐ Una necesidad permanente de trabajadores especializados

Agregue otras cosas que haya notado:

☐ _____

☐ _____

☐ _____

☐ _____

☐ _____

APRENDA LA MANERA DE APRENDER

En una empresa que cambia constantemente, ningún conjunto de habilidades conserva siempre su utilidad. Los conocimientos técnicos que una persona adquiere en la escuela o en el trabajo se hacen obsoletos en poco tiempo.

No hace mucho, el empleado de oficina tenía que saber cómo introducir y alinear el papel carbón cuando mecanografiaba un documento. En la actualidad, esa misma persona debe entender de computadoras, aparatos de fax y el concepto del correo electrónico.

Hoy en día, lo más importante para los trabajadores es, **no el dominio** de un deter- minado conjunto de habilidades sino la **comprensión de la manera de aprender.** Para prosperar hoy en día, las personas tienen que dominar la manera de aprender con rapidez una amplia gama de habilidades. Tienen que estar dispuestas a modificar las viejas maneras de hacer las cosas con objeto de aprender a realizar nuevas tareas y adaptarse a nuevos conocimientos. La mayoría no puede permanecer estrechamente especializada, debe hacerse "generalistas".

¿Qué quiere decir esto? Primero, que cada empleado tendrá que asumir mayor responsabilidad. En **Take This Job and Love It***, el reciente éxito de librería de los autores del presente libro, a esto se le llama el **concepto de dos trabajos.** Además de desempeñar un trabajo en particular, el "segundo trabajo" del empleado consiste en ayudar a su empresa a cambiar y mejorar en forma continua.

Segundo, que ya no es posible que una compañía le garantice al empleado un trabajo definido. Si una persona desea permanecer en una empresa, deberá aprender a dominar muchos trabajos y estar preparada para cambiar de continuo. Habrá muchos casos en los que el cambio será no sólo en un departamento o especialidad, sino, más ampliamente, de la manufactura a la mercadotecnia o de la ingeniería técnica a las ventas. Los empleados más valiosos serán los que tengan la flexibilidad necesaria para dominar la mayor cantidad de tareas y dificultades.

Tercero, que las empresas tendrán que reorganizarse para adoptar una estructura menos jerarquizada y permitir una mayor participación del personal. Los grupos de trabajo recibirán más autoridad para decidir de qué manera llevarán a cabo sus tareas. Habrá que compartir más ampliamente la información, porque la necesitarán más grupos. El papel de usted, como gerente, estará cada vez más alejado de la tradicional función de control y más próximo a la de mantener la capacitación y flexibilidad de su equipo, a fin de que pueda alcanzar metas que estarán cambiando constantemente.

---

* *Take This Job and Love It*, Simon & Schuster, Nueva York, 1988.

RESPUESTAS EMPRESARIALES AL CAMBIO

El cambio genera presiones en cualquier organización, en especial cuando ésta no ha tenido mucha experiencia en su manejo. En tales casos, el primer encuentro con un cambio de importancia puede resultar traumático. En la actualidad, muchas organizaciones están luchando para ajustarse al nuevo entorno de cambios acelerados.

En muchas empresas se dan respuestas diferentes al cambio según los distintos niveles. Esto se muestra y se explica a continuación:

Alta dirección:

En la compañía tradicional, a los altos directivos se les dificulta afrontar las consecuencias directas del cambio. Con frecuencia, subestiman el impacto que tiene sobre sus empleados. Tienden a aislarse; a menudo se dedican a las sesiones de planificación estratégica y a reunir información en reportes sobre encuestas. Rehuyen la comunicación o la búsqueda de "malas noticias", porque les es difícil admitir que "no saben". Dan por hecho que los empleados "están de acuerdo" cuando se les anuncia un cambio, y si el personal se queja o lo resiste, culpan a los directivos de nivel medio. Es frecuente que se sientan traicionados cuando los empleados no responden positivamente.

Dirección media:

Los directivos de nivel medio se sienten presionados para "hacer que cambie la organización" de acuerdo con los deseos de la alta dirección. Se sienten empujados en diferentes direcciones. Con frecuencia, los directivos de nivel medio carecen de la información y la dirección propias del liderazgo y que son necesarias para que puedan concentrarse en las múltiples prioridades que reclaman su atención. Se encuentran atrapados en el medio, y muchas veces divididos, porque no tienen instrucciones claras. Se sienten asediados por empleados molestos, retraídos o que resisten y ya no responden como anteriormente a los métodos administrativos. Asimismo, sienten que sus superiores los han abandonado, los culpan o no los comprenden.

Empleados, Trabajadores, Colaboradores:

Muchas veces, cuando los directivos les anuncian un cambio, los trabajadores se sienten atacados y traicionados. Con frecuencia, el anuncio los toma desprevenidos y en realidad no pueden creer que "mi compañía sea capaz de hacerme tal cosa". La respuesta de muchos de ellos es la resistencia, el enojo, la frustración, la confusión. Puede suceder que su respuesta se manifieste como un muro de "jubilación en el trabajo". Les atemoriza la idea de correr riesgos, ser innovadores o probar cosas nuevas. Experimentan una pérdida de relaciones tradicionales, estructuras familiares y modalidades predecibles de avance en sus carreras.

EL PAPEL DEL ADMINISTRADOR/LIDER DURANTE EL CAMBIO

En épocas de cambio, todo gerente, supervisor y líder de equipo será requerido para que dirija el cambio en su grupo. No debiera haber razón para suponer que los altos directivos manejarán la transición de los diversos grupos de trabajo. Muchos directivos de nivel medio esperan que sus superiores les digan lo que deben hacer. En muchos casos hay una comunicación deficiente entre los altos directivos y los directivos de nivel medio, y no existe una estrategia para anunciar y ejecutar el cambio eficazmente.

Los gerentes necesitan respuestas. Cuando no cuentan con soluciones previamente determinadas, es común que culpen a los altos directivos de no tenerlos informados. El mejor consejo que se puede dar a esos gerentes es que dejen de esperar y asuman el liderazgo de sus equipos.

Si se quedan a la expectativa, la ola del cambio podría alcanzarlos, por lo que se ahogarían. Necesitan aprender a manejarlo, para así mantenerse a flote. Como administradores que son, el cambio les ofrece tanto incertidumbres como oportunidades. Toda la diferencia consistirá en la manera de manejarse a sí mismo y de manejar a su grupo de trabajo. Si siguen las estrategias y los pasos indicados en este libro podrán aprender a ver el cambio como una oportunidad, a la vez que a crear un ambiente de productividad y crecimiento.

Este libro fue ideado para ayudarlo a guiar a su grupo de manera tal que pueda responder al cambio eficazmente. Los cambios pueden afectar la estructura de la empresa —la manera fundamental de hacer las cosas—, sus productos, clientela, prácticas administrativas, estilos de liderazgo, etc. Quienes sepan cómo reaccionar en este ambiente serán los ganadores.

El ayudarse uno mismo durante el cambio es una parte importante de ser un líder del cambio. *Managing Personal Change**, escrito por los autores del presente libro, trata acerca de las habilidades necesarias para llevar a buen fin la transición personal.

Experimentar cualquier cambio de importancia pondrá en tela de juicio la manera como nosotros mismos nos vemos. Los grandes cambios suelen ser como la muerte y el renacimiento de una compañía. Pasar por este proceso es parecido a la remodelación total de una cocina. Para lograr el resultado que se desea, primero hay que desmontar la cocina vieja, con lo cual queda al descubierto el vacío y gran parte de la estructura básica. Entonces se comienzan a colocar los nuevos muebles y utensilios de manera que combinen armoniosamente. Una vez que se añaden los toques finales, puede uno volver a ocuparla y sentirse cómodo y productivo en ella. La remodelación siempre consume más tiempo del que se pensó y cuesta más de lo que se calculó.

---

* *Managing Personal Change*, Crisp Publications, 1989.

FANTASÍAS ACERCA DEL CAMBIO

La transición de la empresa es lenta, costosa y difícil. Existe una tendencia a creer que el cambio puede ser inmediato, fácil y rápido. Al parecer, muchas veces los administradores esperan que los cambios:

1) No alterarán la marcha de la empresa

2) No costarán mucho y se podrán implantar con rapidez

3) Solucionarán previas dificultades de organización

Tal vez estos mitos lo ayudarán a comprender el por qué tantas empresas manejan de manera tan deficiente el proceso del cambio, o se vuelven renuentes a aceptar el desafío de otros cambios si los intentos previos terminaron mal.

El proceso de hacer un cambio de importancia en la cultura de una empresa, exige que las personas se olviden de "cómo eran las cosas" y enfrenten un período de duda e incertidumbre. Cuando uno está manejando el proceso, se absorbe en él totalmente; además, debe manejarlo con sensibilidad. Las empresas que utilizan bien el proceso de modificar la cultura de la organización reducen el tiempo requerido para hacer cambios similares en el futuro.

EL CAMBIO DE LA CULTURA

A menudo, el cambio no es otra cosa que una sencilla modificación de la tecnología o de las relaciones jerárquicas. Pero cuando una compañía tiene que hacer frente a un cambio mayor, o una crisis grave exige una respuesta, lo que en realidad cambia es la "cultura corporativa", es decir, la manera como la empresa está haciendo las cosas. Un cambio de esta envergadura exige una modificación mayor de la manera en que se realiza el trabajo. Ya no es posible permanecer como simple espectador, de los cambios. Más bien, el desafío muchas veces consiste en aumentar la productividad y, simultáneamente, conducir al grupo hacia una nueva dirección. Este libro trata sobre ese desafío.

EL CAMBIO PUEDE ATEMORIZAR

NORMAS BÁSICAS DURANTE EL CAMBIO

Se presentan a continuación ocho normas para cambiar la cultura de una empresa o un equipo. En las secciones posteriores de este libro se presentarán de manera más completa. Siempre que sea posible, debe usted:

1 Tener una buena razón para hacer el cambio
Por lo general, los cambios de cultura no son divertidos. Tómelos en serio. Cerciórese de que comprende el por qué está haciendo el cambio y de que sea necesario.

2 Involucrar a las personas en el cambio
Es menos probable que las personas que participen se resistan. El ser parte del proceso de planificación y transición les da una sensación de control. Pídales que le digan cómo lo harían ellos. Piense en la conveniencia de hacer encuestas, sesiones de grupo y sondeos de opinión.

3 Encomendar el proceso a una persona respetada
Todo cambio necesita un líder. Seleccione a alguien que sea bien visto por el grupo.

4 Formar equipos para el manejo de la transición
Necesita personas que sean representativas de su grupo, para que hagan los planes, prevengan lo necesario, resuelvan los problemas, coordinen las actividades y concentren los esfuerzos relacionados con el cambio.

5 Dar capacitación sobre nuevos valores y comportamientos
Las personas necesitan orientación para comprender en qué consiste "la nueva manera" y por qué es más deseable. La capacitación acerca a los grupos. Asimismo, les permite expresar sus preocupaciones y reforzar las habilidades recién adquiridas.

6 Obtener ayuda de una persona fuera de la organización
Por alguna razón, a menudo tiene más fuerza lo que dice un extraño que la misma sugerencia hecha por una persona de la empresa. Válgase de esta fuerza para afianzar la dirección que desea seguir.

7 Establecer símbolos del cambio
Fomente la producción de boletines, nuevos lemas o logotipos y de actos de reconocimiento que contribuyan a celebrar y reflejar el cambio.

8 Reconocer y recompensar a las personas
Cuando el cambio comience a funcionar, tómese algún tiempo para reconocer y recordar los logros de las personas que lo hayan hecho posible. Reconozca los esfuerzos y sacrificios hechos por las personas.

REPASO DE LA SECCIÓN I

No es posible escaparse u ocultarse del cambio empresarial. Es algo natural. Los problemas se presentan cuando no se les permite a las personas manejar el cambio, ni se les enseñan las habilidades necesarias para aprender la manera de aprender. Para que una organización pueda adaptarse al cambio, necesita ayudar a su personal a superar el cambio.

PREPARACIÓN PARA EL CAMBIO

¿Cuál será mi primer paso?
¿Quiénes necesitan participar?

> Creo firmemente en la suerte, y he descubierto que cuanto más trabajo más suerte tengo.
>
> *Thomas Jefferson*

PREPARACIÓN PARA EL CAMBIO

Elementos Clave del Manejo del Cambio

En ocasiones, la alta dirección hace amplios planes para los cambios estratégicos de la empresa, pero le da muy poca importancia al modo de manejar la transición entre la vieja manera y la nueva. A menudo, cuando sucede esto, la nueva meta, sistema, organización o proyecto se presenta a un equipo de trabajo simplemente como una dirección o decisión. Cuando el equipo no es consultado, le causa una gran sorpresa. Se da a conocer el cambio, y su ejecución se deja en manos del grupo. Cuando esto le sucede a usted, como el gerente que tiene que ver con el asunto, se encuentra en un predicamento. Necesita producir resultados, algo que sólo se puede hacer cuando su equipo apoya los cambios plenamente. Muchas veces, la alta dirección considera la ejecución del cambio como una simple nota al calce de su plan. Pero su equipo de trabajo tal vez considere el mismo cambio como una crisis de primera magnitud.

Casi todas las dificultades que el cambio plantea a las empresas se manifiestan durante este período de transición. Es entonces cuando las personas se paralizan, se confunden, las domina la ansiedad y la irritación; con frecuencia se vuelven improductivas. Su tarea, como gerente, consiste en guiar a su equipo, durante el cambio, de la manera más fluida posible, indistintamente de cuán bien o mal se haya enfrentado éste.

Ceder para Obtener Control

Presentamos a continuación una gran lección de liderazgo. Es, sencillamente, que no se puede pasar por el cambio y conservar los niveles previos de estrecho control de los subordinados. La lección es que se puede obtener el control del cambio cuando se es capaz de ceder aquél.

En las organizaciones eficaces, las personas comparten objetivos fundamentales y se comunican clara, directa y regularmente sobre lo que hacen. Cada persona desempeña su trabajo con mayor flexibilidad que la acostumbrada en empresas menos eficaces. Si usted maneja una organización eficaz, durante el cambio se beneficiará mediante el ejercicio de un nuevo tipo de liderazgo. Disminuir el control directo e incrementar la actividad de coordinar, centrar y facilitar el cambio. Sólo cuando el gerente y el grupo trabajan juntos pueden lograr un propósito determinado. Esto sucede cuando se aprende la manera de delegar inteligentemente, en el grupo, una parte del control propio.

Como administrador, tiene responsabilidades especiales con respecto al mantenimiento de sólidas líneas ascendentes de comunicación. Si guarda para usted la información que le llega de arriba, o piensa que es el único que sabe cómo manejar el cambio, su liderazgo controlador no será de gran ayuda para la ejecución de los cambios. Su grupo no aprenderá, carecerá de la información que necesita para hacer las modificaciones y no sentirá que participa, a menos que lo haga interesarse cediendo una parte de su control.

PREPARACIÓN PARA EL CAMBIO (*Cont.*)

Poder e Influencia

La mayoría de los cambios empresariales que experimentará usted durante su carrera serán puestos en marcha por otras personas. Tal vez pueda anticipar el cambio o verlo venir (por ejemplo, la necesidad de una tecnología nueva), sin embargo, la mayoría de las veces le será presentado como un hecho consumado. Cuando ello sucede, la reacción común, independientemente del nivel que tenga el gerente, es adoptar una actitud de desamparo. A partir de preguntas como "¿Qué puedo hacer?" o "¿Habrá alguien que nos haya tomado en cuenta?", se puede llegar a la inactividad y la frustración. Cuando sucede esto, los trabajadores pasan su tiempo lamentando el cambio, soñando con los días idos o criticando la decisión de los altos directivos.

Su tarea como agente del cambio consiste en reemplazar la sensación de impotencia y la añoranza de la seguridad del pasado por la visión de las oportunidades del futuro. Esto lo podrá lograr si llama la atención de su grupo hacia las maneras en que su actuación puede ser determinante.

He aquí cómo comenzar:

Piense en algún cambio que haya sido anunciado recientemente en su empresa. Luego, en el espacio apropiado de la hoja de trabajo que aparece en la página siguiente, anote los aspectos del cambio que sean **"hechos consumados"**. Por lo general, están fuera de su control. Podría incluir, entre diversos factores, aspectos de oportu-nidad, personal y presupuesto.

A continuación, anote en el espacio correspondiente los aspectos del cambio **controlados** por usted y su equipo. Aquí es donde en verdad se necesita ir al fondo. Algunas cosas parecerán estar ya hechas, pero es posible que estén bajo su control en cierto grado.

Por último, piense en cuáles aspectos del cambio pueden **influir** usted y su equipo, y anótelos también. Recuerde que, siempre es posible comunicarse o negociar con otros grupos de su empresa. Su grupo puede iniciar la comunicación y el estudio con cualquier otro grupo. ¿Sobre cuáles aspectos del cambio necesitan hablar? ¿Cuáles deben ser aclarados? ¿Sobre cuáles se necesita mayor información? ¿De qué manera se puede lograr todo esto?

Asumir el control y ejercer nuestra influencia son aspectos fundamentales del manejo del cambio. Cuando llegue usted al final de este libro, casi todos los aspectos de cualquier cambio le parecerán negociables. La alta dirección no toma en cuenta automáticamente todas las cosas. Si el equipo de usted tiene mejor información o ve las cosas de manera distinta, su deber para con la empresa es negociar y discutir el cambio.

Cuando se esté preparando para algún cambio, utilice el ejercicio de la página siguiente. Repítalo con su equipo para ayudar a sus integrantes a planear sus respuestas al cambio. Aprenderá que su equipo verá las cosas de manera distinta de como lo hacen sus superiores.

CONTROL DEL CAMBIO

Piense en algún cambio que haya habido recientemente en su empresa; luego, en los espacios adecuados describa cuáles aspectos del cambio eran "hechos consumados", cuáles eran "negociables" y cuáles "controlables".

HECHOS CONSUMADOS–ASPECTOS DEL CAMBIO SOBRE LOS QUE YO (NOSOTROS) NO TENGO (TENEMOS) CONTROL:

NEGOCIABLES–ASPECTOS DEL CAMBIO QUE NOSOTROS PODEMOS INFLUIR O DISCUTIR CON OTROS GRUPOS:

CONTROLABLES–ASPECTOS DEL CAMBIO QUE MI EQUIPO PUEDE CONTROLAR:

PLANIFICACIÓN DEL CAMBIO

Los pasos siguientes lo ayudarán a introducir e implantar los cambios en su grupo con buenos resultados. Usted y su grupo tendrán que hacer algunas tareas en sus casas para completar cada etapa. Es posible que, de acuerdo con las circunstancias, no realicen todas las etapas en orden perfecto, pero por lo menos deberán tener conciencia de ellas. De otra manera, correrán el riesgo de estar insuficientemente preparados para implantar el cambio sin contratiempos.

I   **Preparación:** Cómo prever los elementos clave.

II **Planificación:** Cómo organizar al grupo para planear la respuesta.

III **Estructuras de Transición:** Cómo establecer maneras especiales de trabajar juntos y estructuras de organización temporales.

IV **Ejecución:** Cómo activar respuestas y ciclos de aprendizaje flexibles.

V   **Recompensa:** Cómo reconocer a las personas que hicieron que el cambio funcionara.

Todos los pasos se considerarán cuidadosamente en las páginas siguientes.

CUANTO MEJORES SEAN SUS PLANES, TANTO MÁS "AFORTUNADO" SERÁ USTED CUANDO REALICE EL CAMBIO

I   PREPARACIÓN:

Siempre que sea posible, antes del cambio siga estos cinco pasos:

1. ☐ **Prepare a sus empleados.**

   Hágales saber con anticipación lo que está sucediendo. No siempre es mejor decírselos con demasiada anticipación. (Por ejemplo: si se informa al personal ocho meses antes de un cambio, sólo servirá para que se acumule su ansiedad.)

2. ☐ **Describa el cambio de la manera más completa posible.**

   En su opinión, ¿cómo afectará a cada uno de los empleados en lo personal y al grupo de trabajo en su totalidad? Determine quiénes serán los más afectados y trate con ellos primero.

3. ☐ **Investigue qué sucedió durante el último cambio.**

   Por lo que se refiere a su habilidad para manejar el cambio, ¿el grupo de usted tiene una historia positiva, o el último cambio le resultó traumático? Aprenda de la experiencia pasada, y permita que estos antecedentes influyan en sus acciones actuales.

4. ☐ **Considere la preparación de su equipo.**

   ¿Están sus integrantes listos para afrontar un cambio? Una organización o grupo que no se encuentre mental y emocionalmente preparado mantendrá una actitud negativa, que imposibilitará la aceptación del cambio y no continuará adelante.

5. ☐ **No haga más cambios si no son determinantes.**

   Durante un cambio, las personas necesitan toda la estabilidad que esté a su alcance. Cuando esté usted haciendo cambios de organización de gran alcance, no modifique las fechas para el pago de sueldos, el horario de trabajo o los procedimientos en el comedor del personal. Cambie sólo las cosas más importantes, de una en una.

II | PLANIFICACIÓN:

Estudie las cosas detalladamente. Durante esta etapa:

1. ☐ **Haga planes para contingencias.**
   Piense en las posibilidades optativas para el cambio propuesto: Si los asuntos marchan en una dirección, ¿qué hará usted?...¿Y si marcharan en otra dirección?... Prevea lo imprevisto, lo inesperado y cualquier contratiempo.

2. ☐ **Tenga en cuenta el efecto del cambio en el desempeño y la productividad del personal.**
   No cuente con que sus empleados alcancen su ritmo habitual en un instante. Esa expectativa sólo frustraría cualquier sensación de logro que estén experimentando.

3. ☐ **Estimule las aportaciones de los empleados.**
   Discuta con ellos cada una de las etapas y pídales sugerencias.

4. ☐ **Prevea las habilidades y conocimientos que se necesitarán para dominar el cambio.**
   ¿Los tienen sus empleados? ¿Ha preparado planes de capacitación?

5. ☐ **Fije los objetivos y un calendario de trabajo, para que mida su avance.**

¡ESTUDIE TODO CON DETALLE!

III | ESTRUCTURAS DE TRANSICIÓN:

Actividades especiales para un periodo especial. Después de la etapa de planificación:

1. ☐ **Organice un grupo de manejo de la transición para que supervise el cambio.**
Establezca líneas de autoridad temporales. Este grupo es el encargado de tomar   el pulso del equipo y de ayudar a determinar posibles obstáculos.

2. ☐ **Desarrolle políticas y procedimientos temporales para su aplicación durante el cambio. Demuestre flexibilidad para probar cosas nuevas. Relaje el control y los procedimientos.**

3. ☐ **Establezca nuevos canales de comunicación.**
Recuerde a las personas por qué el cambio tiene sentido. Utilice líneas telefónicas de emergencia, buzones electrónicos, boletines, cintas de video, reuniones generales, sesiones de capacitación, carteles, etc., de manera que las personas reciban pronto la información. La murmuración es costosa; prevéngala por medio de una comunicación clara y precisa.

4. ☐ **Reúnase frecuentemente con su equipo para vigilar lo   imprevisto, dar retroalimentación o ver qué está sucediendo.**
Haga de la retroalimentación una función diaria.

ESTABLEZCA ESTRUCTURAS TEMPORALES PARA EL ÉXITO

IV | EJECUCIÓN:

Adopte medidas claras y flexibles para que pueda:

1. ☐ **Proporcionar capacitación adecuada en nuevas habilidades e instrucción sobre nuevos valores y comportamientos.**

2. ☐ **Fomentar la autoadministración.** Infórmele a cada persona que tiene la responsabilidad de algún aspecto del cambio.

3. ☐ **Dar más retroalimentación que de costumbre, para asegurarse de que las personas sepan siempre dónde se encuentran.**

4. ☐ **Tener en cuenta la resistencia.** Ayude a las personas a librarse de lo "viejo". Prepárese para ayudar a quienes tengan dificultades especiales para adaptarse.

5. ☐ **Dar oportunidad a las personas de alejarse un poco para ver lo que está sucediendo.** Pregúntese de continuo: "¿El cambio está funcionando como queremos?"

6. ☐ **Estimular a las personas a que piensen y actúen de manera creativa.**

7. ☐ **Estar al pendiente de cualquier "oportunidad" debida al cambio.**

8. ☐ **Estar preparado para el retiro y retorno de las personas que se resistan temporalmente.** No descarte a ninguna persona como irrecuperable.

9. ☐ **Colaborar.** Tienda puentes entre su grupo de trabajo y otros grupos. Esté al pendiente de las oportunidades de enlazar sus actividades.

10. ☐ **Vigilar el proceso del cambio.** Haga encuestas para determinar cómo responden al cambio los empleados.

V | RECOMPENSA:

Comparta las ganacias:

1. ☐ **Establezca incentivos para esfuerzos especiales.** Celebre a quienes dirijan el cambio. Dé bonificaciones únicas a los grupos que hayan realizado el cambio con fluidez.

2. ☐ **Celebre el éxito mediante la producción de exhibiciones públicas en las que se reconozca a las personas y grupos que hayan ayudado a lograr que las cosas funcionaran.**

REPASO DE LA SECCIÓN II

Tal vez usted no sepa cuándo se está planeando un cambio pero, en el momento que se presenta, dista mucho de estar incapacitado para hacer algo al respecto. Si bien es posible que haya muchas cosas fuera de su control, muchos aspectos de la ejecución pueden anticiparse e influir en ellos. Inicie el manejo del cambio con la búsqueda de nuevas oportunidades. Tan pronto como sea posible, haga que su grupo participe en el cambio.

¿QUÉ LES SUCEDE A LAS PERSONAS?

"Algunas aprenden de sus experiencias, otras nunca se recuperan."
"Las personas no temen al cambio, temen la pérdida."

Las cosas se derrumban. El centro no resiste.
W. B. Yeats

COMPRENDER LA PÉRDIDA

El cambio ocurre cuando termina algo y comienza algo nuevo o diferente. El período entre estos dos puntos es una *transición*. Es entonces cuando la gente debe aprender a despedirse de lo viejo y abrazar lo nuevo. Por lo general, significa el paso de lo familiar a lo desconocido. Incluso cuando el cambio es positivo, este proceso psicológico nos afecta. La mayoría de nosotros reaccionamos fuertemente ante cualquier cambio. Una de las más fuertes de tales respuestas suele ser la sensación de pérdida, que va emparejada con la lucha por aceptar una dirección nueva. El cambio puede producir síntomas físicos como la sudoración, insomnio y angustia, todos los cuales afectan la calidad del trabajo.

El error más común en el manejo del cambio es subestimar el efecto que tiene en las personas. Muchos administradores piensan que, basta que les digan a sus empleados que cambien para que lo hagan. No se dan cuenta de que el renunciar a normas de trabajo conocidas puede resultar en graves trastornos. Recuerde siempre cuántas cosas serán desorganizadas y procure comprender que las personas necesitan tiempo para ajustarse al cambio.

Incluso cuando el cambio es positivo –ascensos, expansión, transformación en empresa pública, nuevos mercados, etc.– no es extraño que las personas lo sientan como un final o una pérdida. Muchas veces los administradores tienen dificultades para comprender la pérdida que se asocia con el cambio. Si no se es capaz de manejar la pérdida, no se puede conducir a las personas en una nueva dirección.

Tipos de pérdida

Cuando en una empresa ocurre un cambio o modificación importante, es normal que los empleados experimenten diversos tipos de pérdida, como son las de:

1. **Seguridad**—Los empleados dejan de sentir que tienen el control o de saber qué les reserva el futuro, ni cuál es su posición en la empresa.

2. **Capacidad**—Los empleados dejan de sentir que saben qué deben hacer o cómo manejarse. A veces, las personas se apenan cuando se enfrentan con nuevas tareas porque ignoran la manera de realizarlas. Es difícil admitir que se ignora la manera de hacer algo.

3. **Relaciones**—En este caso, es posible que desaparezca el contacto familiar con los viejos clientes, los compañeros de trabajo o los gerentes. Con frecuencia, las personas pierden el sentido de pertenencia a un equipo, un grupo o una empresa.

4. **Sentido de Dirección**—Los empleados pierden la comprensión de hacia dónde van y por qué. Con frecuencia, el significado y la misión pierden su claridad.

5. **Territorio**—Se presenta un sentimiento de incertidumbre respecto al campo que solía pertenecerles. Este puede ser el espacio de trabajo o la asignación de labores. El territorio incluye tanto el espacio psicológico como el espacio físico.

COMPRENDER LA PÉRDIDA (*Cont.*)

Cada una de las pérdidas que se describen en la página anterior tiene un costo. Cualquiera, incluso la de un espacio de trabajo o una tecnología conocida, puede provocar una respuesta emocional semejante a la pena. Usted debe ayudar a sus empleados a que dejen atrás su pérdida, a que acepten la nueva dirección y sigan adelante.

Es importante comprender que, las personas en las que el cambio provoca un sentimiento de pérdida no son débiles ni anticuadas, esto es parte normal de cualquier transición. De hecho, las personas que no manifiestan ningún sentimiento de pérdida a menudo se ven sobrepasados después por una transición aparentemente pequeña. Es más sano reconocer y expresar la pérdida cuando ocurre, de manera que los participantes puedan enfrentarse más rápidamente con el proceso de la transición. Una de las tareas del gerente consiste en reconocer que ha ocurrido una pérdida, no en pretender que la situación es la de costumbre. Cuando la pérdida no se reconoce, lo común es que se traduzca en resistencia y desorganización en el futuro.

EL TEMOR A LO DESCONOCIDO ES NORMAL

CÓMO CAMBIAN LAS PERSONAS

> ## Las personas cambian cuando se les guía, no cuando se les ordena.

Una fantasía muy extendida es que, si se les ordena a las personas que cambien, lo harán. Muchas veces, esta creencia lleva a los gerentes a comportarse como instructores militares, a ordenar a los empleados en todo momento. Por lo general, la respuesta a ese método es la resistencia, la actitud defensiva o el retraimiento; o todas esas cosas a la vez.

Normalmente las personas no modifican su comportamiento sólo por tener determinada información. Por ejemplo: ¿Cuántas personas han dejado de fumar debido a la advertencia que aparece en las cajetillas de cigarros?

Es mucho más común *que las personas cambien debido al apoyo, estímulo, confrontación afectuosa y empatía* de un conocido. Con frecuencia, el hacerse líderes y establecer relaciones de apoyo representa una nueva aptitud para los gerentes que han adoptado un método de administración más tradicional. Cuanto más involucrado esté usted con su equipo, y más involucrados estén sus integrantes unos con otros, tanto más fácil les será el cambio. El establecer relaciones de confianza requiere habilidad, y puede dejar al gerente en situación más expuesta. Sin embargo, los gerentes que saben cómo establecer relaciones de apoyo obtienen mejores resultados durante los períodos de cambio porque su equipo confía en ellos y está dispuesto a seguirlos.

> ## Incentivos y recompensas

Dado que la mayoría de los cambios encuentran resistencia, es importante establecer incentivos para quienes se adaptan al cambio de manera profesional y completa. Para hacerse agente del cambio, le convendría:

- Reconocer públicamente a quienes dominen el cambio.

- Recompensar a quienes eliminen los obstáculos para el cambio.

- Dar, por una vez, una bonificación especial a quienes aprendan las nuevas habilidades o las nuevas maneras de comportamiento, o ambas cosas, que facilitan el funcionamiento del cambio.

- Incorporar, como parte regular de sus reuniones, las buenas ideas y nuevas sugerencias de los miembros del equipo.

DEL PELIGRO A LA OPORTUNIDAD

Con frecuencia, el cambio llega acompañado de elementos tanto de peligro como de oportunidad. Cuando el cambio está próximo, la primera respuesta de las personas podría ser verlo como una amenaza o un peligro. Cuando reaccionan así, temen y resisten el cambio.

Una vez que ocurre el cambio, no es extraño que las personas a quienes afecta, comiencen a acostumbrarse a él. Con frecuencia, durante este período comienzan a darse cuenta de que el cambio puede ofrecerles nuevas oportunidades. Algunas ven que la nueva manera realmente puede ser más eficaz y ofrecer el potencial de una nueva libertad y un nuevo poder. Una vez que las personas aceptan que el cambio les puede brindar nuevas oportunidades y posibilidades, éste va con paso firme en camino de ser implantado con éxito.

Piense en un cambio que haya usted experimentado recientemente, y escriba sus reacciones en los espacios correspondientes:

• Si el cambio le pareció una amenaza o un peligro, ¿cómo lo experimentó?

• ¿Qué oportunidades o posibilidades ocultas encontró en el cambio?

FASES DE LA TRANSICIÓN POR EL CAMBIO

El **peligro** y la **oportunidad** se pueden subdividir en dos aspectos que se muestran abajo. Estos suministran un modelo de cuatro fases por las que pasan las personas cuando enfrentan un cambio.

- El **peligro** se subdivide en:
  Negación
  y
  Resistencia

- La **oportunidad** se divide en:
  Exploración
  y
  Compromiso

Casi toda la gente atraviesa por estas cuatro fases en cada transición; sin embargo, algunas pueden superar pronto o detenerse mucho tiempo en diferentes etapas. El liderazgo eficaz puede ayudar a un grupo, y a cada uno de sus miembros a pasar de la negación al compromiso.

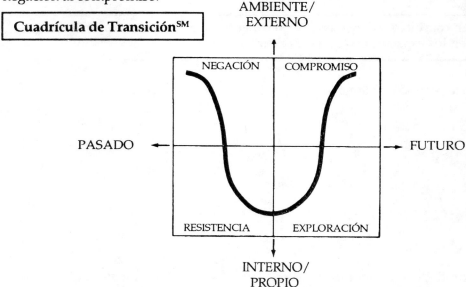

Cuadrícula de Transición^{SM}

Los cambios en su organización transportarán a su equipo por las cuatro fases del proceso de transición que se muestra arriba. Imagínese este proceso como el descenso a un valle y luego el ascenso para salir de él. La transición conduce de la manera en que se hacían las cosas en el pasado hacia el futuro. Durante el cambio, las personas se fijan en el pasado, y **niegan** el cambio. Luego, todas pasan por un periodo de preocupación, durante el cual se preguntan dónde se encuentran y cómo las afectará. Es entonces cuando normalmente se presenta la **resistencia**. Conforme entran en las fases de **exploración** y **compromiso**, comienzan a ver hacia el futuro y las oportunidades que puede ofrecerles.

---

*   La Cuadrícula de Transición^{SM} es parte de los programas El Manejo del Aspecto Humano del Cambio y El Dominio del Cambio, ofrecidos por Flora/Elkind Associates de San Francisco. Aquí se utiliza con su autorización.

DIFERENTES ETAPAS REQUIEREN DISTINTAS ESTRATEGIAS

Las diferentes etapas requieren distintas estrategias. Es probable que, durante el cambio, tenga usted empleados en etapas diferentes. Para ayudar a su personal durante el cambio, necesitará adoptar una postura "flexible" en la aplicación de las técnicas. La lista de verificación que aparece abajo le será de utilidad para diagnosticar la etapa en que se encuentran los empleados. Además, no es extraño encontrarse con un empleado que oscila entre los dos extremos. Cuando suceda esto, recurra a la estrategia descrita en esta sección para la primera etapa, hasta que la persona en cuestión esté lista para avanzar.

¿QUÉ OBSERVA EN SU GRUPO DE TRABAJO?

Marque cualquier comportamiento que haya observado en su grupo de trabajo durante cambios recientes en su empresa:

Negación
- ☐ Se pasará muy pronto
- ☐ Apatía
- ☐ Aturdimiento

Compromiso
- ☐ Trabajo en equipo
- ☐ Satisfacción
- ☐ Ajuste y plan claro

Resistencia
- ☐ Insomnio
- ☐ Disgusto/pleitos
- ☐ Puse todo de mi parte, y miren cómo me pagan
- ☐ Alejamiento del equipo

Exploración
- ☐ Preparación excesiva
- ☐ Frustración
- ☐ Demasiadas ideas nuevas
- ☐ Tengo mucho quehacer
- ☐ No me puedo concentrar

NEGACIÓN:
LA PRIMERA REACCIÓN AL CAMBIO

A menudo, cuando se da a conocer un cambio muy importante, la primera reacción es el aturdimiento. Parece como si el anuncio no se captara del todo. No sucede nada. Las personas continúan trabajando como de costumbre. Tal parece que la productividad continuará y nada será afectado.

La etapa de **negación** puede prolongarse si no se estimula a los empleados a que expresen sus reacciones, o si los directivos se conducen como si lo único que tuvieran que hacer los empleados fuera proceder con sus tareas de acuerdo con los nuevos métodos. La negación es perjudicial porque obstruye el progreso natural de la recuperación de una pérdida (es decir, de los viejos modos de hacer las cosas), por lo que no permite que esa recuperación avance. Los empleados siguen pensando en cómo eran las cosas (descuidándose a sí mismos y a su futuro), sin explorar las maneras en que pueden o necesitan cambiar.

Debido a que muchas veces las personas no ven las dificultades durante la fase de negación, el gerente puede caer en el error de pensar que el empleado ha pasado directamente a la fase final, la del compromiso. Puede suceder que esta esperanza sea reforzada por esos oradores que simplemente alientan a las personas a pensar de manera positiva, ascender por su propio esfuerzo y avanzar para alcanzar la excelencia. Esto se conoce como el **Impulso de Tarzán (Tarzan Swing**[SM]**)** y al parecer funciona durante un corto tiempo, por lo general hasta que algún indicador muestra que la productividad está disminuyendo. Al llegar a este punto, es común que la empresa llame a un consultor para que "arregle" los problemas, tales como el estrés, que padecen los empleados. Como la atención se fija en los individuos y su respuesta al cambio, más bien que en la de la empresa, no se toca un aspecto importante del manejo del cambio.

Los altos directivos son particularmente propensos a buscar un **Impulso de Tarzán (Tarzan Swing**[SM]**)** en su empresa desde el momento mismo del anuncio del cambio. A menudo, no ven por qué puede causarles dificultades a los empleados. Según parece, creen que las personas reciben un sueldo para que hagan a un lado sus sentimientos; o tal vez crean que la compañía sencillamente no tiene tiempo para recorrer las otras etapas. Pero el desearlo no modifica la secuencia: sólo sirve para ocultarla. La siguiente sección de este libro contiene las estrategias necesarias para conducir al equipo por la etapa de negación.

RESISTENCIA: FASE DOS

La resistencia surge cuando las personas han pasado del aturdimiento a la negación y comienzan a experimentar dudas sobre sí mismas, disgusto, depresión, ansiedad, frustración, temor o incertidumbre a causa del cambio. Elizabeth Kubler-Ross relacionó esta etapa, en conexión con su trabajo, con los agonizantes. Cuando una compañía es vendida, se fusiona o despide personal, las expectativas, esperanzas y promesas, al igual que el trabajo mismo, pasan por algo muy cercano a la muerte para algunos de los empleados. Las personas se fijan especialmente en el efecto que el cambio les hace a cada una de ellas.

Durante la fase de resistencia, la productividad disminuye de manera notable; a menudo, las personas están molestas y negativas. Los gerentes escuchan muchas murmuraciones, el departamento de personal tiene que atender una gran cantidad de asuntos y las máquinas copiadoras están siempre ocupadas en la producción de currícula. Las ausencias, enfermedades y accidentes relacionados con el trabajo se multiplican. Durante la fase de resistencia es cuando se recurre con mayor frecuencia a los programas externos de manejo del cambio.

Si bien para una compañía es difícil experimentar abiertamente las expresiones negativas, eso es precisamente lo que contribuye a reducir su efecto al mínimo. Cuando se permite a las personas que externen sus sentimientos y compartan su experiencia, esta fase transcurre con más rapidez. Las personas que creen ser las únicas que "sintieron" determinada sensación, o que piensan que sus reacciones superan en intensidad a las de sus colegas, se sienten mejor cuando comparten su experiencia y se enteran de que otros sienten lo mismo.

En las culturas cerradas, en las que tales respuestas no pueden ser compartidas, esta fase se prolonga. La expresión de los sentimientos es lo que ayuda a los empleados a cambiar. Durante el período de resistencia, las empresas pueden valerse eficazmente de los rituales de las organizaciones (por ejemplo, meriendas campestres, fiestas, entregas de premios, comidas, etc.) para hacer frente a esas respuestas normales. Las personas necesitan disponer de alguna manera de decir adiós a lo viejo y de comenzar a dar la bienvenida a lo nuevo. Más adelante en este libro, se tratará sobre algunas estrategias para manejar la resistencia.

A la larga, todo mundo llega al punto más bajo y comienza a subir por el otro lado de la curva del cambio. Esta mudanza, que se siente claramente aunque cada quien la experimenta de manera distinta, indica que las cosas están mejorando. Los grupos de trabajo notan repentinamente un renovado interés por el trabajo y un renacimiento de la creatividad. Esto indica que la fase dos está terminando.

EXPLORACIÓN Y COMPROMISO: LAS FASES FINALES

Durante la fase de **Exploración**, se libera energía conforme las personas vuelven a fijar su atención en el futuro y en el ambiente externo. Otra palabra que se emplea para nombrar esta fase es "caos". A medida que las personas intentan comprender en qué consisten sus nuevas obligaciones, buscan nuevas maneras de entenderse con los demás, aprenden más acerca de su propio futuro y se preguntan cómo funcionará la nueva organización de la compañía, una gran cantidad de aspectos se hacen dudosos. Durante esta fase aparece la incertidumbre, que se manifiesta especialmente con el estrés entre quienes necesitan contar con una considerable fortaleza. Durante la exploración, es común que las personas recurran a su energía creativa interna para determinar las maneras de capitalizar el futuro. Esta fase puede ser estimulante y emocionante; puede generar nuevos y fuertes nexos en los grupos de trabajo. En la Sección VII del libro se examinarán más ampliamente la visualización y la exploración.

Después de buscar, probar, experimentar y explorar comienza a surgir una nueva forma. Cuando esto sucede, la persona o el grupo está listo para el **Compromiso**. Durante esta fase, los empleados están prestos a concentrarse en un plan. Están dispuestos a volver a dar forma a su misión y a planear actividades para lograr que funcione. Están preparados para aprender nuevas maneras de trabajar juntos, y han renegociado sus funciones y expectativas. Los valores y actividades necesarios para comprometerse con una nueva fase de productividad ya son conocidos. Se trata de una fase en la que los empleados están dispuestos a identificarse sólidamente con un nuevo conjunto de metas, así como a definir cómo lograrlas. Esta fase durará hasta que haya otro cambio de gran envergadura y comience un nuevo ciclo de transición.

Puesto que los cambios son inevitables, cabe hacerse la pregunta de si estaremos siempre sujetos a esta ola de transiciones. La contestación ideal es sí, porque si no hubiera cambios, nosotros y nuestras empresas caeríamos en la obsolescencia y perderíamos la capacidad de respuesta. El desafío es que aprendamos a superar la transición de la manera más fácil y creativa posible. Lo que ayuda a las personas a recorrer con eficacia caminos desconocidos, es un mapa, en el cual pueden obtener información sobre cómo responder con eficacia a los obstáculos predecibles que se les presenten.

ESTRATEGIAS PARA EL MANEJO DE CADA FASE

En cualquier punto del proceso de cambio, es probable que su equipo no se encuentre en una sola fase, sino que esté alternando entre varias. Como gerente, necesita saber en qué etapa se encuentra la totalidad de su grupo, así como cuál de ellas está atravesando cada uno de sus integrantes. Para que pueda ayudarles a recorrer la curva que lleva hacia el compromiso, se enlistan abajo algunos ejemplos de lo que observará en cada fase. Esto le será de utilidad para diagnosticar las fases en que se encuentran los miembros de su equipo.

Cómo Diagnosticar Cada Fase

NEGACIÓN

Es común observar; retraimiento, "negocios como de costumbre", fijación en el pasado. Hay actividad, pero no se hace gran cosa.

RESISTENCIA

Verá usted: disgusto, culpabilidad, ansiedad, depresión e incluso "jubilación en el trabajo". "¿Cuál es la diferencia? Esta compañía ya no se preocupa por uno."

EXPLORACIÓN

Reconocerá usted: preparación excesiva, confusión, caos, energía. "Vamos a probar esto y esto, ¿y qué tal si...?" Energía e ideas nuevas en abundancia, pero falta de definición.

COMPROMISO

Surge cuando los empleados comienzan a trabajar juntos. Hay cooperación y una mejor definición. "¿De qué manera podemos trabajar en esto?" Quienes están comprometidos andan en busca del siguiente desafío.

LA META ES EL COMPROMISO

EL MANEJO DE CADA FASE

Qué medidas adoptar durante cada fase

—EN LA DE NEGACIÓN

Enfrentar a las personas con la información. Hacerles saber que habrá un cambio. Explicarles lo que es de esperarse y sugerirles las medidas que pueden adoptar para ajustarse al cambio. Darles tiempo para que absorban las cosas, y entonces programar una sesión de planificación para discutirlas.

—EN LA DE RESISTENCIA

Escuchar, reconocer los sentimientos, responder con empatía, fomentar el apoyo mutuo. No intente hacer que las personas renuncien a sus sentimientos, ni decirles que cambien o que unan sus esfuerzos. Si acepta sus respuestas, le seguirán diciendo cómo se sienten. Esto le ayudará a responder a algunas de sus preocupaciones.

—EN LA DE EXPLORACIÓN

Concentrarse en las prioridades y proporcionar cualquier capacitación que sea necesaria. Hacer el seguimiento de los proyectos en marcha. Fijar metas para el corto plazo. Conducir sesiones de confrontación de ideas, visualizaciones y planeación.

—EN LA DE COMPROMISO

Fijar metas para el largo plazo. Concentrarse en la organización del equipo. Elaborar una declaración de la misión. Aprobar y recompensar a quienes respondan al cambio. Mirar hacia adelante.

¿Dónde está su grupo?

Piense en la manera en la que su grupo respondería durante cada una de las fases. Elabore algunas notas:

Durante la de Negación—Creo que mi grupo reaccionaría:

Durante la de Resistencia—Creo que el comportamiento de mi grupo sería:

Durante la de Exploración—Me parece que mi grupo:

Durante la de Compromiso—Es probable que mi grupo:

DURANTE UNA SITUACIÓN DE CAMBIO EFECTIVA

Haga una relación de unos cuantos integrantes clave de su grupo y, con base en los indicadores mencionados en la página anterior, procure predecir en qué fase está cada uno de ellos:

NOMBRE	SEÑALES OBSERVADAS	FASE
1.		
2.		
3.		
4.		
5.		

A continuación, en la cuadrícula de transición, trace la gráfica correspondiente a esos integrantes. Ponga sus iniciales junto al punto de la curva en que se encuentran:

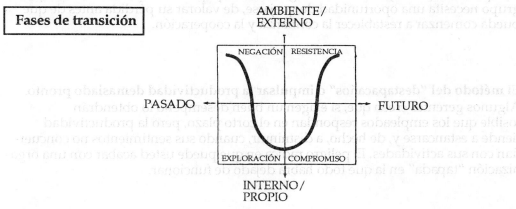

Fases de transición

AMBIENTE/ EXTERNO

NEGACIÓN   RESISTENCIA

PASADO   FUTURO

EXPLORACIÓN   COMPROMISO

INTERNO/ PROPIO

Por último, y de acuerdo con su análisis, indique cuáles son los métodos que necesitaría emplear para llevar a su grupo hacia el nivel siguiente.

¿Quiénes son los líderes que podrían ayudar a los demás a seguir avanzando?

¿Quiénes son los rezagados de su grupo que necesitan de ayuda especial?

TRAMPAS

Durante el cambio, el administrador podrá caer en una de las trampas siguientes:

1. Ignorar u oponerse a la resistencia.

La resistencia no es una experiencia agradable: puede sentirse como si todos estuvieran enojados con uno y uno fuera el culpable. Lo normal es que esto sea pasajero. Lo único que se logra negándose a ver la resistencia, es que se haga más profunda y se prolongue. Invítela. Para sacarla a la luz, escuche a sus empleados y mejore su comunicación con ellos.

2. Precipitarse a organizar un equipo.

Cuando se ven forzados por el cambio, muchos gerentes piensan que lo que hace más falta es lograr que los empleados vuelvan a trabajar juntos. Cuando un grupo se encuentra en las fases de negación o resistencia, o en los momentos iniciales de la exploración, trabajar mucho en organizar el equipo es una pérdida de tiempo. El grupo necesita una oportunidad de quejarse, de valorar su pérdida antes de que pueda comenzar a restablecer la confianza y la cooperación.

3. El método del "destapacaños" o impulsar la productividad demasiado pronto.

Algunos gerentes creen que, si exigen un buen desempeño lo obtendrán.
Es posible que los empleados respondan en el corto plazo, pero la productividad tiende a estancarse y, de hecho, a disminuir, cuando sus sentimientos no concuerdan con sus actividades. El peligro radica en que puede usted acabar con una organización "tapada" en la que todo habrá dejado de funcionar.

DOMINIO DEL CAMBIO

Las siguientes cuatro secciones de este libro versan sobre las cuatro habilidades que los gerentes necesitan dominar a fin de poder conducir con éxito a sus grupos durante el cambio:

–**Cómo comunicar los cambios**

–**Cómo afrontar la resistencia**

–**Mayor participación del equipo**

–**Liderazgo visionario**

SECCIÓN IV
CÓMO COMUNICAR LOS CAMBIOS

Debo seguir al pueblo. ¿Acaso no soy su conductor?
Benjamín Disraelí

CÓMO COMUNICAR LOS CAMBIOS

Su papel como administrador

Como administrador, es frecuente que se halle atrapado en medio. Tal vez usted contribuyó a un cambio con mucho, algo o casi nada; con todo, es responsable de hacer que funcione su unidad. Tiene sus propios sentimientos respecto al cambio, pero al mismo tiempo está obligado a adoptar la posición de la compañía.

La manera en que le lleve a su equipo el mensaje acerca del cambio determinará en gran medida el resultado. En el cómo haga el anuncio, lo que diga y cómo negocie con los miembros de su equipo radicará la diferencia. La Sección IV explora los métodos de anunciar el cambio, le dice la manera en que puede monitorear las respuestas y cubre las negociaciones sobre lo que necesita hacerse. Lo más frecuente es que el anuncio del cambio se haga durante la etapa de negación, y a veces no es captado completamente. Puede suceder que, cuando reciba el mensaje, su grupo pase con rapidez de la negación a la resistencia. Usted necesita aprender la manera de manejar esas respuestas intensas de su equipo. Esta sección lo ayudará a hacer eso precisamente.

Establecimiento del ambiente de comunicación

En épocas de cambios, el mantener una comunicación franca puede ayudar a prevenir los rumores, la ansiedad y los errores. Con frecuencia, los administradores se excusan de comunicar las noticias inquietantes con el argumento de que están "muy ocupados y presionados", por lo que no disponen de tiempo para reunirse con el personal. Diversos estudios revelan que, si uno no encuentra ese tiempo a principios del proceso, después necesitará mucho más para aclarar las dificultades.

La comunicación en ambos sentidos es esencial durante el cambio, y debe cubrir todos los aspectos. Se recomiendan distintas formas de comunicación. Utilice líneas telefónicas de emergencia, foros públicos, boletines, cintas de video, pláticas personales, discusiones informales; cualquier cosa que le dé resultados. Repita el mensaje mediante el empleo regular de los diversos métodos de comunicación.

CÓMO COMUNICAR LOS CAMBIOS (Cont.)

¿Cómo me enteré?

Vamos a examinar algunas de las maneras como las personas se enteran de los cambios; para ello, lo tomaremos a usted como ejemplo.

Piense en algún cambio que haya experimentado recientemente en su trabajo.

- ¿Cómo se enteró inicialmente del cambio? ¿De qué manera fue informado?

_____

_____

- ¿Cuáles fueron los aspectos buenos y los aspectos malos de la manera como se le dio la información?

_____

_____

- ¿Cómo habría preferido que lo informaran? ¿De qué manera podría haberse mejorado el anuncio?

_____

_____

ORIENTACIONES PARA COMUNICAR LOS CAMBIOS A LOS EQUIPOS

A continuación, se les proporcionan algunos consejos acerca de la manera de comunicar los cambios a su grupo. Ponga una marca ☑ junto a la descripción de las que utiliza en la actualidad. Ponga un "X" junto a las que piense utilizar en el cambio siguiente.

☐ **1. Hable personalmente con la gente.**

Ni los memorandos ni los boletines son la manera más eficaz de informar a las personas sobre los cambios importantes. Los anuncios escritos no les permiten expresa: sus sentimientos en forma directa. A menudo, los documentos se usan para no tener que tratar con las respuestas de los empleados. A la larga, el resultado es contraproducente. Los memorandos y boletines son buenos como seguimiento después de una reunión cara a cara, porque las personas pueden encontrarse en la fase de negación, por lo que les es difícil "escuchar" cualquier información que perturbe su seguridad.

☐ **2. Diga la verdad a las personas.**

Cuanto mejor informadas estén las personas, tanto menor será su ansiedad. Las preguntas no contestadas sólo sirven para que se propalen los rumores. En caso de que no sepa lo que está ocurriendo, dígalo. No está obligado a saber todas las respuestas. El líder en el que se puede creer no lo sabe todo, en especial durante las épocas de cambios. Pida a sus subordinados que le formulen sus preguntas y procure hallar las respuestas a la información faltante. Haga otra reunión cuando sepa más y comparta la información a medida que la obtenga.

☐ **3. Exprese sus sentimientos.**

No excluya la información sobre sus propios sentimientos. Las personas necesitan conocer las reacciones de usted. Si expresa sus sentimientos, se sentirán reconocidas y comprendidas; además, serán más francas. En los casos apropiados, dígales de qué manera lo afecta el cambio personalmente. Tratándose de un líder, la revelación de sí mismo es una estrategia muy eficaz porque con frecuencia él se hace eco de lo que esas personas piensan.

> Veamos un ejemplo...
>
> "En vista de esta nueva reorganización, me imagino que algunos de ustedes están experimentando cierta inquietud y abatimiento con respecto a la manera en que su trabajo podría resultar afectado. Como gerente en esta división tengo algunos de esos mismos sentimientos, pero confío en que todo saldrá bien. Deseo asegurarles que me esforzaré por representar nuestros principales intereses durante el período de transición."

CÓMO COMUNICAR LOS CAMBIOS (Cont.)

¿Por qué es importante hablar?

Durante el cambio, es conveniente que tenga reuniones, tanto formales como informales, con sus empleados. El objetivo general de las reuniones es mantener informados a todos, aunque el objetivo variará conforme transcurran las etapas del proceso. Los siguientes son algunos de los objetivos concretos:

1. Anunciar un cambio.

2. Suministrar nueva información y aclaraciones.

3. Dar a las personas un lugar en el que sientan apoyo y puedan expresar sus sentimientos.

4. Hacer que los empleados participen en la planificación y la implementación del cambio.

5. Proporcionar retroalimentación sobre la marcha de los asuntos.

6. _____

7. _____

Es interesante observar que, algunas veces, las reuniones en que se da a conocer un cambio son versiones en miniatura de las cuatro fases del ciclo del cambio. Primero, puede que haya negación en tanto no se estudie y comprenda el anuncio. Entonces, es posible que las personas expresen resistencia, ya sea con preguntas, quejas o conjeturas. Por último, puede darse una modificación conforme las personas comienzan a preguntarse cómo responderán al futuro, lo cual hacen mediante la planificación y confrontación de ideas constructivas. Por último, es posible que el grupo se comprometa tentativamente a seguir la dirección del cambio.

En general, lo mejor es que se reúna con la totalidad de su grupo si el cambio afecta a todos sus integrantes. En caso de que algunas personas resulten afectadas más directamente, sería aconsejable que se reuniera con cada una de ellas por separado y de inmediato, antes de la reunión con el grupo, de manera que pueda explicarles cuidadosamente la situación, así como ofrecerles su apoyo en caso necesario. Si algunas personas son perjudicadas, esas reuniones previas le brindarán a usted la oportunidad de tratar la situación.

¿Por qué la gente necesita debatir?

Las personas que pasan con más éxito el cambio se benefician si:

• Conocen las razones concretas del cambio

• Reciben información precisa –la verdad

• Tienen la oportunidad y el estímulo para hacer preguntas

• Tienen la oportunidad de expresar sus sentimientos.

• Reciben seguridades personales

CÓMO COMUNICAR LOS CAMBIOS (Cont.)

Juntas para conocer el cambio

Una junta para anunciar un cambio es la mejor manera de informar a su grupo. Las juntas son, además, herramientas fundamentales para la planeación, implantación y monitoreo del cambio. Refuerzan la idea de que las personas integran un equipo que puede trabajar unido para realizar tareas y alcanzar objetivos. Pueden servir para informar a todos sobre lo que sucede y ofrecen oportunidades de retroalimentación. Es conveniente que, durante el cambio organice juntas frecuentes para asegurarse de que la comunicación sea clara y franca.

Planificación para dar a conocer el cambio

Al igual que con cualquier actividad de negocios importante, es fundamental que se prepare en forma debida antes de celebrar una junta acerca del cambio. Revise la información que va a comunicar; tome notas para que no se olvide de presentar todo lo esencial; piense en la mejor manera de introducir el cambio y la manera más lógica de presentar los detalles. Se ofrece a continuación un formato general para las juntas acerca del cambio. Asegúrese de que se encuentra preparado para seguir estos pasos:

☐ Exponga la necesidad del cambio y cómo se presentó.
☐ Describa el cambio en detalle.
☐ Explique la manera en que el cambio afectará a su grupo.
☐ Pida que hagan preguntas sobre el cambio. Estimule la participación de los asistentes.
☐ Esté atento a los sentimientos y responda de manera apropiada.
☐ Comparta sus sentimientos personales (si es oportuno hacerlo).
☐ Solicite ayuda y apoyo para lograr que el cambio funcione.

Escuchar durante el cambio

Uno de los elementos más importantes de la comunicación consiste en escuchar. Las personas que sienten que las escuchan ofrecen menos resistencia y, a menudo, pasan el cambio con más facilidad. Escuchar activamente es la mejor técnica para ayudar a las personas a comprender sus sentimientos y pasar a la acción más rápidamente.

Escuchar con el "tercer oído"

Algunos gerentes desalientan a sus equipos porque no dejan de hablar durante toda la junta. Se encuentran tan ocupados en anunciar, explicar, exhortar y persuadir, que no dejan tiempo para las opiniones de los asistentes. Quizá teman escuchar las respuestas. El secreto de poseer el dominio del cambio es no sólo hablar de manera franca y directa, sino también escuchar cuidadosamente lo que se dice (y en ocasiones, lo que no se dice). Si escucha, podrá darse cuenta de cuáles son los mensajes y significados, así como los sentimientos que experimentan los integrantes de su equipo.

CÓMO COMUNICAR LOS CAMBIOS (Cont.)

Pasos para escuchar activamente

Cuando se escucha activamente, se presta atención no sólo a lo que está diciendo la persona, sino también a los sentimientos y emociones fundamentales que se encuentran *detrás* de lo que dice. Cuando uno escucha activamente, reprime la necesidad de persuadir., pues es algo que se puede intentar después. Cuando se escucha activamente, la meta es:

• ayudar a la otra persona a expresar lo que siente o desea, o ambas cosas, y
• mostrar que uno quiere comprender lo que esa persona piensa.

Escuchar activamente lleva aparejadas las siguientes maneras de comportarse. Marque aquéllas con las que esté de acuerdo:

☐ 1. **Prestar atención con todo el cuerpo.**
   Siéntese cómodamente y concéntrese en la otra persona. No se distraiga revolviendo papeles ni se muestre inquieto. Concentre toda su atención.

☐ 2. **Hacer contacto visual.**
   "Escuche" con los ojos. Fíjese en lo que dice la persona. Observe su expresión. Trate de determinar lo que la cara y el cuerpo dicen junto con el mensaje.

☐ 3. **Mostrar interés.**
   Repita ocasionalmente lo que le haya oído decir a la persona, para verificar su mensaje (por ejemplo: "Veamos, ¿dice usted que la reorganización alterará los planes que tiene para su carrera?").

☐ 4. **Hacer preguntas abiertas.**
   Intente lograr que la persona se sincere. Con frecuencia se necesita tiempo para expresar un punto, o para revelar sinceramente los sentimientos. Las preguntas abiertas requieren algo más que un "sí o no" por contestación (un ejemplo podría ser: "¿Cuál fue su reacción inicial al cambio?" o "¿Cuál cree usted que sería el efecto del cambio en el grupo?").

☐ 5. **Escuchar los sentimientos detrás del mensaje.**
   Además de lo que la persona dice verbalmente, cada declaración dice también algo acerca de los sentimientos que se encuentran detrás. Si intuye que la persona tiene algo especial, verifíquelo mediante preguntas por el estilo de: "¿Se siente usted molesto a causa del cambio?"

☐ 6. **Confirmar y aclarar lo que se ha escuchado.**
   Cerciórese de que captó correctamente el significado del mensaje. Para ello, repítalo frente a la persona, procurando resumirlo y comunicar su aspecto central. Si lo logra, generalmente la persona estará más relajada y más dispuesta a discutir otras posibilidades.

CÓMO COMUNICAR LOS CAMBIOS (Cont.)

Cómo comunicarse claramente

Durante los cambios, es común que los administradores supongan que los demás sabrán qué deben hacer. Debido al aumento de la presión, a veces tienden a dar indicaciones más escuetas o a reducir las comunicaciones. Esto es perjudicial, porque durante los cambios se necesita más información, no menos. Cada persona necesita determinar de qué manera se podrá ajustar al cambio. Ya sea que se trate de una organización distinta, una tarea nueva o una tecnología diferente, las personas tendrán necesidad de aprender a trabajar juntas de manera distinta. Usted necesitará comprender de qué manera cambiarán las relaciones en su propia unidad, qué pueden esperar unos de otros y cómo trabajarán juntos. En ocasiones, tendrá que hacer esto varias veces. Durante un cambio, las cosas se modifican constantemente.

DURANTE EL CAMBIO, REDUZCA LAS SORPRESAS AL MÍNIMO

CÓMO COMUNICAR LOS CAMBIOS (Cont.)

Cómo hacer comprensible su mensaje

Dado que la comunicación es un factor clave para el manejo del cambio, es importante que las comunicaciones de usted sean completas y claras.

Se presenta a continuación una fórmula de cuatro partes que lo ayudará a comunicarse con claridad. Comprende:

Comportamiento + sentimientos + efecto + lo que uno quiere= Comunicación clara

Veamos las partes en detalle:

I. Comportamiento-situación:
¿Qué ha sucedido? ¿Cuál es el cambio al que es necesario responder?
"Desde que comenzamos a usar las nuevas computadoras, el ausentismo ha aumentado notablemente. Vamos a estudiar la situación para ver si podemos descubrir las razones".

II. Sentimientos:
¿Cuáles son sus sentimientos respecto al cambio? ¿Está confuso, esperanzado o molesto?
"En lo personal, me siento defraudado por ciertos aspectos del cambio, y quisiera conocer sus sentimientos al respecto."

III. Efecto:
¿Qué efecto tendrá el cambio en usted? ¿En el grupo de trabajo? ¿En el proyecto?
"El efecto del cambio ha consistido en que nuestro programa para abril se retrase."

IV. Lo que uno quiere que suceda:
¿Qué resultado le gustaría ver? ¿Qué quiere que haga la otra persona?
"Lo que me gustaría es ver si podemos determinar lo que está sucediendo y lo que podemos hacer al respecto."

Cómo enviar un mensaje claro

Piense usted en el cambio que está afrontando. ¿Hay alguna persona a la que necesite informarle acerca de determinada respuesta o dificultad? ¿Qué mensaje(s) necesita comunicar? Escriba uno a continuación, con base en la fórmula anterior:

Comportamiento _____

Sentimientos _____

Efecto _____

Lo que usted quiere _____

CÓMO COMUNICAR LOS CAMBIOS (Cont.)

Cómo escoger las palabras que expresen mejor sus sentimientos

Nada es tan difícil como comunicar los sentimientos, porque suelen tener una gran carga emocional y a veces provocar una intensa respuesta. El expresar verbalmente nuestros sentimientos puede hacer que quien nos escucha se retraiga o adopte una actitud defensiva. Pero no hay razón de que suceda tal cosa. El escoger las palabras apropiadas puede ser una considerable ayuda. Por lo general, lo mejor es seleccionar la palabra menos dramática que, sin embargo, comunique cómo se siente uno.

Supóngase que las palabras emotivas tienen diverso valor monetario:

- Las "palabras de 25 centavos" son muy fuertes. Algunos ejemplos podrían ser: asombrado, estupefacto, desastroso, engañoso. Conviene emplearlas con cuidado.

- Las "palabras de 10 centavos" son de rango intermedio. Entre otros ejemplos se cuentan: preocupado, confundido, enojado y defraudado.

- Las "palabras" de 5 centavos" son generalmente las mejores. Ejemplos de éstas son: curioso, interesado. Son las que tienen menos posibilidades de suscitar una reacción negativa.

Es posible que las personas de ambientes culturales distintos escuchen las palabras de manera distinta unas de otras. Vea si hay algunas que le preocupen, para que no sorprenda ni ofenda a nadie innecesariamente.

Palabras emotivas

(25¢)	(10¢)	(5¢)
_____	_____	_____
_____	_____	_____
_____	_____	_____
_____	_____	_____

CÓMO AFRONTAR
LA RESISTENCIA

El pasado se ha ido, el presente es todo confusión, ¡y el futuro me da un miedo espantoso!

David L. Stein

CÓMO AFRONTAR LA RESISTENCIA

Cómo reconocer las señales de resistencia

La resistencia es no sólo una parte predecible del cambio; es tal vez la fase más difícil de manejar. Las personas se resisten por muy buenas razones, aun cuando nosotros preferiríamos que no lo hicieran.

Entre las razones se cuentan:

- La amenaza para su seguridad
- La amenaza del cambio para su sentido de capacidad
- El temor de fracasar en las nuevas tareas
- La renuencia a abandonar la situación actual

Señales de resistencia individual:

¿Cuántas ha observado usted?

☐ Quejas

☐ Errores

☐ Disgusto

☐ Terquedad

☐ Apatía

☐ Ausencias por enfermedad

☐ Retraimiento

Así como las personas dan señales de resistencia, lo mismo hacen los grupos y las organizaciones.

Señales de resistencia de la empresa

☐ Accidentes

☐ Aumento de demandas de indemnización por los empleados

☐ Aumento del ausentismo

☐ Sabotaje

☐ Aumento de demandas de atención médica

☐ Disminución de la productividad

¿Qué señales de resistencia ha notado en su grupo?

_____

_____

_____

CÓMO AFRONTAR LA RESISTENCIA (Cont.)

La paradoja de la resistencia

Por lo general, la resistencia es desagradable para los directivos. No es fácil soportar las quejas ni las acusaciones de culpabilidad hechas por los integrantes del propio equipo. En comparación, la negación parece mucho más sencilla. Algunas veces, los directivos estimulan a su equipo a que permanezca en la etapa de negación, porque les es más fácil manejarla.

Por otra parte, la resistencia es una señal de que el grupo ha superado el estado de negación y se encuentra listo para proceder con el cambio. Incluso cuando en un principio esté mal dirigida, la resistencia indica que el sistema de autodefensa de la persona está comenzando a imponerse, lo cual es un paso importante para recuperarse del cambio.

Su trabajo como gerente es ponerse una "armadura" y recibir (hasta ciertos límites) los disparos y flechazos de la resistencia. Recuerde que, para sus empleados, usted es el símbolo visible del cambio. Procure no tomar personalmente su resistencia.

Rituales: la despedida

Una de las cosas más positivas que puede hacer un gerente durante el cambio es ayudar a los empleados a dar "buenos adioses" –para que así puedan dar "bienvenidas" durante las etapas de exploración y entrega. Un elemento clave de este proceso consiste en aceptar el desaliento, la tristeza o la pena que posiblemente sientan los empleados. El grado que alcancen estas emociones variará de acuerdo con la pérdida que estén experimentando. Un "adiós" a un viejo conjunto de sistemas y procedimientos será mucho menos emocional que el trasladar la empresa a otro Estado.

Una manera de ayudar a sus empleados durante esta difícil transición es recurrir al ritual. No estamos sugiriendo ninguna de las ceremonias tribales de los grupos primitivos; tenemos a nuestro alcance una gran cantidad de rituales propios del siglo XX. Los que dan mejores resultados son los reconocimientos sencillos y públicos de las pérdidas que están experimentando las personas. Tal es el caso de las reuniones a las que asisten todos los empleados, en las que se recuerda el pasado, se cuentan anécdotas de los sucesos notables y se reconoce la gran importancia que tuvieron estos en su época. La página siguiente contiene un par de ejemplos.

EJEMPLOS A LA VUELTA

CÓMO AFRONTAR LA RESISTENCIA (Cont.)

Ejemplos

- Una agencia de alojamientos para personas desamparadas se estaba mudando de su viejo y derruido edificio a uno nuevo ubicado en el otro lado de la ciudad. Antes de abandonarlo, los empleados cortaron un pedazo de la vieja alfombra (el símbolo del pasado), lo colocaron en el recibidor del edificio nuevo y lo cubrieron con recuerdos de la ubicación anterior.

- Durante la fusión de una compañía, los empleados hicieron una "cápsula de tiempo" y la enterraron con memoranda, reportes y otros documentos viejos. Mientras le arrojaban paletadas de tierra, relataron varias historias del pasado.

Sucesos como estos suelen ocurrir de manera espontánea. Con frecuencia, los directivos cometen el error de pensar que tales sucesos son infantiles e innecesarios. Cuando las personas no tienen la oportunidad de expresar sus penas, continúan haciendo sus tareas a un ritmo más lento; lo que a la larga frena la productividad y prolonga la resistencia.

Que se les dé un "buen adiós" es particularmente importante para las personas a las que se deja en los casos de una fusión, reorganización o venta. Muchas veces, los "supervivientes" se sienten culpables, amargados, desconfiados y deprimidos. Las personas "abandonadas" también necesitan una oportunidad de decir adiós a las que se han ido.

Piense en un cambio en el que esté usted participando. ¿Qué actividad podría establecer para ayudar a su personal a decir adiós de manera positiva?

CÓMO AFRONTAR LA RESISTENCIA (Cont.)

El Empleado Conflictivo

El cambio de la empresa es bastante duro de por sí. Cuando se presenta junto con otros problemas de personal, puede ser como "la gota que derramó el vaso". Se calcula que, en un momento dado entre 10% y 15% de todos los empleados del país son alcohólicos, drogadictos o tienen algún otro problema médico o de comportamiento que les impide ser completamente productivos. Para una persona que apenas se las arregla, la presión adicional del cambio puede ser devastadora.

No hay en el mundo ninguna estrategia administrativa que pueda ayudarlos. Necesitan ayuda profesional. Dado que los problemas personales aumentan durante los períodos de tensión, como son los del cambio, es probable que en tales épocas sea testigo de un aumento del comportamiento problemático. El camino más seguro para resolver estas situaciones es conseguir ayuda profesional para el empleado que la necesite, sea por medio del programa de atención médica de la empresa o del Programa de Asistencia para Empleados (PAE). Para obtener información más amplia, consulte a su departamento de personal o recursos humanos.

Recuerde: si se oculta el desempeño insatisfactorio, simplemente se prolonga el tiempo durante el cual el empleado seguirá con su pena antes de recibir ayuda. El huir de los problemas es una forma de negación.

ALGUNOS EMPLEADOS OCULTAN SUS PROBLEMAS O SENTIMIENTOS VERDADEROS

REPASO DE LA SECCIÓN V

Antes de que puedan aceptar el cambio, las personas necesitan enfrentar sus sentimientos acerca de la pérdida de sus viejas costumbres de trabajo. Necesitan tiempo, aceptación y apoyo para renunciar a lo viejo y admitir lo nuevo. El equipo de trabajo puede instituir rituales para decir adiós, mientras que algunos empleados necesitan ayuda especial para seguir adelante.

CÓMO AUMENTAR LA PARTICIPACIÓN DEL EQUIPO

La vida es una aventura audaz, o no es nada.
Helen Keller

CÓMO AUMENTAR LA PARTICIPACIÓN DEL EQUIPO

Durante los cambios de la empresa, la queja fundamental de los gerentes es que resulta difícil lograr que su personal se sienta motivado. En las etapas iniciales del cambio es frecuente que los empleados carezcan de alicientes. Se muestran negativos, o desinteresados en el trabajo que se necesita hacer. Su atención es errática. Por lo general, su dificultad no es una falta de motivación, sino más bien que están enfrentándose con otros asuntos.

Es frecuente que se piense en la motivación como un conjunto de artificios de que se valen los gerentes para lograr que sus subordinados hagan las cosas. La sugerencia es que, si no se recurriera a estas "tretas", los empleados no querrían realizar las tareas.

El parecer más reciente indica que, para que la gente trabaje, no se necesita ni engañarla ni forzarla. De hecho, varios estudios han mostrado que la mayoría desea hacer un buen trabajo. Casi todos los trabajadores que contestaron una encuesta reciente indicaron que, en sus empresas, no se desea que hagan todo lo que podrían hacer en sus puestos. ¡Quisieran poder aportar todavía más!

Dar alicientes a las personas no consiste en *obligarlas* a hacer las cosas: consiste en hallar el factor "deseo", que es, simplemente, determinar lo que quieren hacer. Las personas se entusiasman con el cambio cuando saben que tienen una parte que desempeñar en él. Responden con animación cuando sienten que pueden ayudar a definir la manera en que su grupo de trabajo participará en el cambio. Los buenos líderes ofrecen a los integrantes de sus equipos oportunidades de contribuir a que funcione. Para ello, necesitan pedirles a los empleados sus ideas sobre la mejor manera de hacerlo.

*LA MOTIVACIÓN REQUIERE UNA
ESTRATEGIA BIEN MEDITADA*

CÓMO AUMENTAR LA PARTICIPACIÓN DEL EQUIPO (Cont.)

Papel de la participación

Las personas estarán más dispuestas a aceptar el cambio si participan en su proceso. Esto significa que tendrán un papel en la definición de la manera de alcanzar una meta, o de responder ante una situación nueva. Esta es la idea básica de la administración participativa. La participación puede adoptar muchas formas:

Círculos de calidad, fuerzas de tarea, grupos especializados, teléfonos de emergencia, encuestas de opinión, sistemas de sugerencias, reuniones dedicadas a la lluvia de ideas, etc.

Como gerente, usted querrá aprovechar tantas de las posibilidades anteriores como pueda para hacer que sus empleados participen directamente en el proceso de cambio.

Preparativos para la participación

Antes de que sus empleados comiencen a participar en el proceso de cambio, es importante que verifique usted sus propias intenciones: ¿Los está haciendo participar porque realmente desea saber cómo se sienten, o lo hace simplemente para protegerse de las críticas? Muchos gerentes han hecho la prueba con la participación, y no obtuvieron buenos resultados porque su intención era protegerse, no el saber lo que sentían sus empleados.

Califíquese usted mismo

- [ ] ¿Cuál de las preguntas siguientes describe lo que en realidad siente usted?
- [ ] ¿Cree que es necesario vigilar estrechamente a los empleados porque de lo contrario se aprovecharán de la empresa?
- [ ] ¿Cree que los empleados son incapaces de sugerir una mejor manera de hacer determinada tarea?
- [ ] ¿Se asegura de que los empleados lo consulten a cada paso?
- [ ] ¿Su manera de administrar consiste en permanecer en su oficina y expedir órdenes?
- [ ] ¿Escribe personalmente las descripciones de los puestos de los empleados sin consultarlos a ellos y se las presenta como si fueran leyes?

En caso de que haya usted marcado cualquiera de las preguntas anteriores, necesitará dedicar un buen número de horas a aprender cómo ser un gerente participativo que confíe lo suficiente en sus empleados como para permitirles que definan su propia manera de trabajar.

CÓMO AUMENTAR LA PARTICIPACIÓN DEL EQUIPO (Cont.)

Cómo fijar las metas juntos

Usted puede ayudar a sus empleados durante el cambio, si los invita a participar en la fijación de las metas para el trabajo. El fijar las metas y los objetivos de común acuerdo exige que haya una comunicación franca en un ambiente favorable a la solución de los problemas. Es un proceso de buena voluntad y concesiones mutuas. El gerente que cree ser el responsable único de planear, organizar, programar y evaluar el trabajo, no tendrá tanto éxito como el que hace que sus empleados participen en la fijación de las metas. Durante las épocas de cambios, las metas y los objetivos pueden variar a menudo, por lo que deben ser examinados con frecuencia.

Pasos para fijar las metas conjuntamente durante el cambio

I   Juzgar la situación del momento

II   Escuchar y repetir

III Aclarar los objetivos

IV   Determinar los problemas

V   Buscar soluciones mediante lluvia de ideas

VI   Suministrar retroalimentación

Veamos cada uno de los pasos en forma individual:

I. **Juzgar la situación del momento:** ¿Qué está sucediendo ahora?
¿El trabajo nuevo, subsecuente al cambio, corresponde a los objetivos actuales? ¿De qué manera se han modificado las expectativas desde la última vez que se revisaron? Haga preguntas abiertas, para descubrir lo que cada empleado siente que está sucediendo en relación con las nuevas expectativas.

Como administrador, es posible que necesite aprender a escuchar activamente. Deje que sus empleados le digan qué está sucediendo. Pídales que le digan qué ideas tienen acerca de la mejor manera de cumplir con sus nuevas obligaciones. Por tal fin, pregúnteles:*"Si tuvieras que hacer esto ¿de qué manera lo harías?"*

o,

Si tú fueras el jefe y quisieras que ocurriera algo así, ¿de qué manera lo lograrías?

Nada se puede mejorar, a menos que se sepa lo que sucede.

CÓMO FIJAR LAS METAS JUNTOS (Cont.)

II. Escuchar y repetir: Fomente la confianza.

No es posible escuchar y hablar al mismo tiempo. Escuche para cerciorarse de cuál es la idea central. Tome notas para que no se olvide de lo que dijo la otra persona. Deje el tiempo suficiente para que cada empleado pueda exponer su propio asunto en forma completa. Escuche para percibir las emociones (¿qué es lo que sienten o experimentan en ese momento?) Escuche con todo su cuerpo. Cuando esté frente al empleado, no cruce los brazos ni las piernas e inclínese ligeramente hacia adelante. Válgase de inclinaciones de cabeza afirmativas. De vez en cuando, diga cosas como "ajá, ajá", "continúe", "sí", para estimular al empleado. Haga preguntas abiertas (usando cómo, qué, dónde, cuándo, por qué) y después repita o diga otra vez a su manera lo que crea que la otra persona dijo. Haga preguntas para confirmar lo que entendió.

III. Aclarar los objetivos: ¿Qué es lo que necesita y quiere lograr?

Trabaje junto con los empleados para definir claramente lo que desea. Pida que pongan sus objetivos por escrito. Luego, reúnase con ellos para revisarlos y modificarlos. El trabajar juntos estimula al empleado a hacer sus tareas y sirve para precisar los criterios para la modificación del desempeño.

> **Recuerde... Los objetivos deben ser:**
> Concretos con respecto a lo que debe lograrse
> Mensurables
> Alcanzables
> Orientados hacia los resultados o el rendimiento
> Sujetos a tiempos fijos

IV. Determinar los problemas: Precíselos y analícelos

En el proceso de fijar las metas, habrá algunos aspectos sobre los que tal vez usted y su empleado no estén de acuerdo. Durante las épocas de cambio, es común que se tengan demasiados objetivos (por combinar trabajos sin eliminar objetivos) o intentar realizar tareas que encajan tanto con la "vieja" como con la "nueva" manera de hacer las cosas. Como gerente, su tarea es ayudar a establecer las prioridades y objetivos para prevenir una situación que resulte abrumadora para su empleado. El exceso de objetivos genera ansiedad y es causa de un mal desempeño.

CÓMO FIJAR LAS METAS JUNTOS (Cont.)

V. Buscar soluciones mediante lluvia de ideas: Genere soluciones
Es normal que los trabajos cambien de carácter durante el cambio. Con frecuencia, las anteriores descripciones de puestos no son exactas, por lo que puede suceder que los empleados se molesten si se les pide que hagan cosas que "no son parte de su trabajo". Para ayudarlos a comprender cuáles son sus nuevas funciones, piense usted en:

¿Qué se ha intentado anteriormente?

¿Qué han hecho otras personas en situaciones similares?

¿Qué intentó usted anteriormente, que tal vez no funcionara entonces, pero sí podría funcionar ahora?

VI. Suministrar retroalimentación
Durante el cambio, la retroalimentación es esencial para los empleados. Necesitan saber cuán bien se están desempeñando. Necesitan que se les dé ánimo y apoyo. Cuando las cosas marchan normalmente, muchos gerentes no cumplen como se debe por lo que respecta a dar retroalimentación.

Marque cualesquiera razones que se haya planteado para no dar retroalimentación; luego, comprométase consigo mismo a modificar su comportamiento:

☐ Mis empleados ya saben lo que pienso

☐ Soy el jefe, lo único que tienen que hacer es seguir mis indicaciones.

☐ Tengo muchas otras cosas que hacer.

☐ Si ocurre algo nuevo, se lo diré a quienes necesiten saberlo.

☐ Son profesionales, no debiera ser necesario que los "llevase de la mano".

☐ _____

Cuando la retroalimentación es escasa, es más probable que los empleados estén ansiosos, insatisfechos con su trabajo y que renuncien. Usualmente, las personas a quienes no se les dice nada temen que suceda lo peor.

CÓMO FIJAR LAS METAS JUNTOS (Cont.)

Cómo mejorar su retroalimentación

El propósito de la retroalimentación es ayudar a los empleados a modificar su comportamiento, de tal manera que mejoren su desempeño. Suminístreles retroalimentación, ya sea como información o como acción. Cuando la retroalimentación esté orientada hacia la acción, asegúrese de que sea algo que el empleado pueda controlar. Si pide que respondan a algo respecto a lo cual no hay nada que puedan hacer, lo único que logra-rá será que se sientan defraudados. A continuación, se presentan algunos consejos sobre este asunto:

1. Sea directo

Suministre la retroalimentación personalmente. Cuantas más sean las personas por cuyo intermedio se transmita un mensaje, más posibilidades hay de que sea distorsionado. Por lo tanto, suminístrela tan pronto como sea posible.

2. Sea concreto

Las personas aprenden cuando se les da información completa. ¿Qué comportamiento, medida o estilo quiere usted que continúen o suspendan? Si les dice simplemente *"¡Buen trabajo!"*, no les da mucha información. Sería mucho mejor decir: *"Gracias por haberse quedado ayer hasta la noche para enviar su embarque al señor Allen. De verdad aprecio su esfuerzo."*

3. Sea personal

Inclúyase en la retroalimentación. Personalícela agregándole sus propios sentimientos: *"Estoy preocupado por su desempeño en el trabajo"* o *"Me dio mucho orgullo que los propusieran para el premio de seguridad"*, le confieren una mayor significación a la retroalimentación. Los empleados necesitan que usted se los diga.

4. Sea honesto

Cuando una retroalimentación se falsea, los empleados se dan cuenta. Si la retroalimentación no es honesta, es mejor no suministrarla.

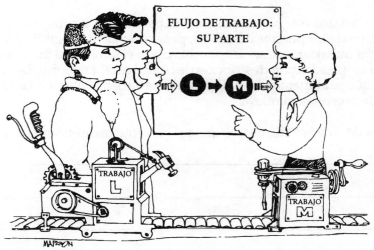

LA RETROALIMENTACIÓN ES ESENCIAL PARA EL ÉXITO

CÓMO AUMENTAR LA PARTICIPACIÓN DEL EQUIPO

Premie los intentos, no sólo los logros

Es seguro que se cometerán errores durante los cambios. La manera en que usted responda a ellos será de gran importancia para que los empleados continúen participando. Cada error representa una enseñanza en potencia. Su trabajo es dirigir la atención de los empleados hacia el aspecto instructivo del error. Pregúnteles qué piensan hacer en el futuro para prevenir que se repita. Comente positivamente sus ideas para reforzarlas, y apóyelos en sus nuevos intentos.

El daño causado por los errores se puede reducir estableciendo ciclos regulares de reportes y retroalimentación. Esto es de particular importancia durante los cambios, cuando es frecuente que las maneras de trabajar preestablecidas ya no sean las más adecuadas.

Efectos del cambio en el desempeño

El cambio en el sitio de trabajo afectará a sus empleados y su desempeño. Por lo general, éste será afectado en proporción directa a la magnitud del cambio. Sin temor a equivocarse, se puede suponer que, si el cambio es significativo las actividades de trabajo no se realizarán al ritmo normal. Tome en cuenta esta disminución para sus proyecciones y programas de producción.

Hay cosas concretas que los empleados buscan en su trabajo antes, durante y después del cambio. Asegúrese de proporcionarles tantas de las cosas siguientes como sea posible:

1. Trabajo interesante o que tenga algún objeto, o ambas cosas.
2. Indicación clara de los resultados que espera.
3. Retroalimentación adecuada y oportuna sobre los resultados.
4. Sistema de premios por el logro de resultados

Los cambios le ofrecen una magnífica oportunidad para volver a pensar en las descripciones y asignaciones de los puestos de trabajo, para hacerlas más significativas. El enriquecimiento del trabajo puede ser tan sencillo como el tomar una tarea actual y hacer participar al empleado en la descripción de cómo hacerla más útil. Es posible que esto requiera que se aumenten las obligaciones, se varíen o alternen las tareas, o que sean hechas de una manera nueva.

Describa una tarea de su grupo de trabajo que sea susceptible de enriquecimiento.

NUEVA DEFINICIÓN DE UN TRABAJO

Si quiere definir nuevamente los puestos de trabajo durante el cambio, válgase de los pasos para el enriquecimiento del trabajo. Está usted autorizado para hacer copias de esta forma y usarla en las nuevas definiciones de los puestos que desee hacer.

1. Procedimientos

_____

_____

_____

2. Herramientas, técnicas y habilidades requeridas

_____

_____

_____

3. Alcance de autoridad. ¿Quién supervisa? ¿Qué autoridad tiene?

_____

_____

_____

4. Programa para la realización del trabajo

_____

_____

_____

5. Relaciones interpersonales. ¿Con quién interactúa el empleado?

_____

_____

_____

6. Otro(s) aspecto(s) esencial(es)

_____

_____

_____

NUEVA DEFINICIÓN DE UN TRABAJO (Cont.)

Fíjese en la información que reunió en la página 59, y vuelva a pensar en todos los puestos de trabajo en términos de los principios siguientes:

1. ¿Cuál es la misión, dirección o significado total del trabajo? ¿Se trata de un trabajo uniforme, no sólo de piezas aisladas?

_____

_____

_____

_____

_____

2. ¿De qué manera le puede comunicar al empleado que su trabajo constituye una contribución? ¿Cuáles son los límites de la responsabilidad personal?

_____

_____

_____

_____

_____

3. ¿De qué manera puede participar el empleado en el trabajo de planificación que se llevará a cabo?

_____

_____

_____

_____

_____

LIDERAZGO VISIONARIO

"El liderazgo es más tribal que científico, más una trama de relaciones que un cúmulo de información..."

Max DuPree, Leadership is an Art

CÓMO TRANSFORMARSE EN LÍDER DURANTE EL CAMBIO

No es fácil ser un líder durante el cambio. Se requieren diversos conocimientos administrativos. No hay que llevar un control muy estrecho, sino poner más atención en las funciones de "encuadrar" y "tender puentes". A menudo, aumentan los aspectos que deben controlarse y es posible que los gerentes sean responsables de más personas y pruebas diferentes. Para alcanzar el éxito, el líder enérgico deberá trabajar más para centrar los esfuerzos de sus empleados. Ello le exige

- Comprender y expresar una visión de la dirección del grupo.

- Compartir dicha visión.

- Crear un ambiente en el que los empleados sientan que también ellos están contribuyendo a hacerla realidad.

Muchos administradores dicen que, durante el cambio, se sienten incapaces de desempeñar su papel porque los oprimen las presiones de arriba y abajo. En esta sección, veremos algunas herramientas que puede usted utilizar para conducir a su grupo hasta el futuro. Para ponerlas en práctica, no se requiere que sean aprobadas por la alta dirección de la empresa. Acuérdese de lo que dijimos anteriormente: si espera a que su compañía le diga cómo cambiar antes de conducir a su grupo a través del cambio, puede suceder que tenga que esperar durante un largo tiempo.

> **PASO 1**
> **Cómo forjar una visión con su grupo**

Cuando ocurre un cambio, tenemos que trasladarnos del "cómo era" a una visión de "cómo será". Es común que, una vez que un grupo ha avanzado más allá de las etapas de negación y resistencia, experimente una oleada de energía. Las personas comienzan a prepararse para enfrentar el futuro. Investigan dónde están, los nuevos resultados que deben lograr y las oportunidades que se les presentarán más adelante. En esta etapa, necesitan que se les ayude a forjar una visión de su meta. Usted puede ayudar a que suceda esto si conduce a su grupo hacia una visión del futuro que todos compartan. Muchas de las cosas extraordinarias que logran las personas ordinarias se inician con una visión que les inspira y les da fuerzas. Durante la transición, un líder del cambio ayuda a su grupo a fijar con claridad el rumbo que el equipo necesita tomar.

CÓMO TRANSFORMARSE EN LÍDER DURANTE EL CAMBIO (Cont.)

PASO 2
Visualización en equipo

Reserve algún tiempo para hablar sobre el futuro. Programe una reunión especial para concentrarse en él.

Pida a los integrantes del equipo que cierren los ojos y se imaginen que se encuentran cinco años adelante. La gran transición de la empresa ha concluido. Pregunte qué observan en su futuro sitio de trabajo. ¿Cómo es la organización? ¿Qué están haciendo las personas? ¿Cómo son las áreas de trabajo? ¿Qué tipo de trabajo es el que se está haciendo? Conforme vayan investigando su futuro sitio de trabajo, pida que piensen en la manera en que el futuro se diferenciará del presente. ¿Qué mejoras notan?

A continuación, discutan lo que las personas hayan observado. Escriba en un rotafolios los puntos clave de sus visiones. Con las aportaciones de todas ellas, forje una visión compartida del futuro.

NUESTRA VISIÓN DEL FUTURO ES:

Trabajar en una visión suele ser un proceso emocionante. Puede ayudar a los empleados a darse cuenta de que tienen un papel en la tarea de forjar el futuro. En lugar de que el equipo se preocupe por lo incierto del futuro, la visualización puede servirle para generar un sentido común a todos sus integrantes de la dirección en que van. Una vez forjada la visión, podemos volver atrás para proyectar las maneras de alcanzarla.

PASO 3
Cómo aclarar los valores

El cambio puede llevar a una nueva configuración de los valores conforme a los cuales opera su equipo. Los valores son los cimientos de la manera en que ustedes trabajan de común acuerdo. Es posible que, durante el cambio se modifiquen los valores fundamentales. Por ejemplo: una compañía que en un tiempo daba gran importancia a la tradición y los procedimientos estrictos, tal vez cambie y favorezca la independencia y los mercados nuevos. Una cosa que se puede hacer, es aclarar cuáles han sido los valores anteriores y cuáles serán los nuevos.

EJERCICIO DE VALORES DEL TRABAJO

Un **valor** es un principio o norma que uno considera sobresaliente, conforme al cual vivimos o trabajamos. Los valores siguientes son comunes en el trabajo. ¿Qué tan importante es cada miembro de su equipo? Haga una copia de esta forma, e invite a cada uno de ellos a que haga el ejercicio.

	Menos importante		*Más importante*		
Seguridad-libertad de preocupaciones, ausencia de peligros, certeza, predicibilidad	1	2	3	4	5
Posición-cómo se ve uno ante los ojos de los otros	1	2	3	4	5
Compensación-paga o remuneración	1	2	3	4	5
Afiliación-colaborar con los compañeros de trabajo y ser apreciado por ellos	1	2	3	4	5
Reconocimiento-ser notado por el esfuerzo personal o de equipo	1	2	3	4	5
Autoridad-tener poder para dirigir los sucesos	1	2	3	4	5
Logros-dominio de tareas, proyectos o habilidades para realizar el trabajo	1	2	3	4	5
Independencia-libertad de control sobre terceras personas	1	2	3	4	5
Altruismo-interés por el bienestar de los demás	1	2	3	4	5
Creatividad-hallar nuevas maneras de hacer las cosas, ser innovador	1	2	3	4	5
Estímulo intelectual-pensamiento crítico, ideas nuevas	1	2	3	4	5
Estética-deseo de belleza en el trabajo y el entorno	1	2	3	4	5
(Otros valores importantes para su grupo)	1	2	3	4	5
_____					
_____					
_____					

Después de que cada uno de los integrantes de su equipo haya aclarado sus valores personales, analice con ellos los que comparten, y procure arribar a los valores de trabajo fundamentales, puestos de manifiesto por el equipo.

Los principales valores de nuestro grupo de trabajo son:

_____

_____

EJERCICIO DE VALORES DE TRABAJO (Cont.)

Fíjese que el análisis de los valores sea concreto. No deje que las personas hablen en términos abstractos. Dé ejemplos concretos de cómo sabría usted que estaba actuando de acuerdo con tales valores.

El compromiso, por ejemplo, se podría expresar asumiendo la responsabilidad de conseguir una persona que nos sustituya en el trabajo cuando tenemos que permanecer en casa.

No tema hablar con franqueza acerca de los valores deseables que tal vez se olviden o pasen a segundo plano debido a las presiones del negocio.

Los valores son el nuevo aglutinante

Los valores compartidos nos permiten trabajar juntos gracias al equilibrio entre delegación y control. Es probable que durante el cambio encuentre usted que su cultura está creciendo para abarcar una gama más amplia de valores. Esto es normal. Con frecuencia, las culturas de trabajo tradicionales eran definidas estrechamente y exigían un alto grado de conformismo. Había una manera "correcta" de hacer las cosas, y quien deseara pertenecer al grupo las hacía de esa manera. Hoy en día, cuando las culturas son muy fluidas, la gama de "lo correcto" es más amplia y hay más campo para la creatividad, el cambio y la iniciativa personal. El nuevo grupo de trabajo opera, no según la tradición, sino valiéndose de una visión y unos valores compartidos. En el futuro, los integrantes del equipo tendrán que tomar más decisiones por su propia cuenta. Como líder de un equipo, el trabajo de usted es mantenerlos entusiasmados y orientados hacia las metas que ellos mismos fijaron.

Cómo hallar el nuevo rumbo

Después de que el equipo ha aclarado su visión y sus valores, el líder del cambio debe ayudarlo a investigar la mejor manera de alcanzar sus metas. Una vez que se haya determinado esto, podrán elegir un plan de actividades y comprometerse a ponerlo en práctica.

CÓMO DEFINIR UN PLAN DE ACTIVIDADES

El plan de actividades se puede precisar en una continuación de ideas o en una serie de juntas, en las que se estimule a los empleados a sugerir ideas sobre cómo alcanzar las metas basadas en la visión compartida por el grupo. Algunas veces, cuando se ponga en marcha una nueva tecnología o se implante una organización notablemente distinta, será necesario hacer numerosos cambios.

El de la exploración es un período durante el cual el equipo hace un esfuerzo extra para pensar en nuevas maneras de hacer las cosas. Muchas veces, cuando trabaja bien, un equipo puede idear más y mejores maneras de lograr los resultados buscados. Aproveche usted la energía del grupo para pensar en cómo lograr que suceda algo positivo.

Tal vez le parezca que las sesiones de planeación son poco eficaces, pero no tardará en descubir que valen el tiempo que consumen. Las personas desean participar y aportar sus ideas. A menudo, invertirán su tiempo libre en la búsqueda de la manera de solucionar dificultades especiales.

Después de cierto tiempo dedicado a la confrontación de ideas, debe llevar a su grupo a que adopte algunas decisiones. Esto significa que, deben fijarse metas concretas y ponerse de acuerdo en un plan para alcanzarlas. El adoptar las decisiones de común acuerdo ayuda a que todos los integrantes del equipo se sientan comprometidos por ellas.

Una vez que se haya establecido el compromiso para alcanzar las nuevas metas, deberá usted tomarse el tiempo necesario para reconocer las contribuciones hechas por cada persona.

PLAN DE ACTIVIDADES CON VISTAS AL CAMBIO

CÓMO ESTAMOS CAMBIANDO

Las únicas cosas que evolucionan por sí mismas en una organización son el desorden, la fricción y el mal desempeño.

Peter Drucker

PLAN DE ACTIVIDADES PARA EL ÉXITO

Ha llegado la hora de que conjunte todos los elementos de lo que aprendió, y formule un **Plan de actividades** que responda al cambio en su sitio de trabajo. Tómese el tiempo necesario para contestar las preguntas de abajo, que se relacionan con el cambio que deberá afrontar:

1. Describa el cambio de la manera más completa posible. Diga concretamente qué impacto tendrá en sus empleados, su departamento y su organización. Indique los "factores humanos" que serán afectados por el cambio.

    _____

    _____

    _____

    _____

2. ¿Qué visión tiene usted del mejor resultado posible?

    _____

    _____

    _____

3. ¿Qué ventajas tiene su grupo o departamento al emprender este cambio?

    _____

    _____

    _____

4. ¿Qué obstáculos traerá consigo el cambio que podrían impedirle alcanzar su meta?

    _____

    _____

    _____

PLAN DE ACTIVIDADES PARA EL ÉXITO (Cont.)

5. Indique los pasos que tomará en relación con:
    Comunicación _____
    _____
    _____

    Manejo de la resistencia _____
    _____
    _____

    Participación de los empleados_____
    _____
    _____

    Liderazgo _____
    _____
    _____

6. ¿Cuál es su calendario para realizar este cambio?
    Ahora _____
    _____
    _____ Término

7. ¿Qué nuevas habilidades, conocimientos y actitudes se necesitan para realizar este cambio?
    Habilidades _____
    _____
    _____

    Conocimientos _____
    _____
    _____

    Actitudes _____
    _____
    _____

8. ¿Cómo admitirá, reconocerá y celebrará usted este cambio?
    _____
    _____
    _____

PLAN DE ACTIVIDADES PARA EL ÉXITO (Cont.)

9. ¿De qué manera establecerá incentivos para motivar a sus empleados al cambio?

    _____

    _____

    _____

    _____

10. ¿De qué manera se premiarán a sí mismos por haber encabezado este cambio?

    _____

    _____

    _____

    _____

LECTURAS SUGERIDAS

Adams, John, ed. *Transforming Leadership,* Alexandria, Virginia: Miles River Press 1986.

Bennis, Warren & Nanus, Bert. *Leaders.* Nueva York: Harper and Row, 1985

Bridges, William. *Surviving Corporate Transitions.* Nueva York: Doubleday, 1988.

Deal Terrence and Kennedy, William. *Corporate Cultures.* Reading, Massachussets: Addison-Wesley, 1982.

Hirschhorn, Larry and Associates. *Cutting Back.* San Francisco, California: Jossey-Bass, 1983.

Kanter, Rosabeth Moss. *The Change Masters.* Nueva York, Simon and Schuster, 1983.

Kilmann, Ralph. *Beyond the Quick Fix.* San Francisco, California: Jossey-Bass, 1984.

Levering, Robert. *A Great Place to Work.* Nueva York: Random House, 1988.

Michaels, Donald. *Learning to Plan, Planning to Learn.* San Francisco, California: Jossey-Bass, 1973.

Miller, William. *The Creative Edge.* Reading, Masschussets: Addison-Wesley, 1987.

Morgan, Gareth. *Riding the Waves of Change.* San Francisco, California: Jossey-Bass, 1988.

O'Toole, James. *Vanguard Leadership.* Nueva York: Doubleday, 1985.

Pinchot, Gifford. *Intrapreneuring.* Nueva York: Harper and Row, 1985.

Peters, Tom. *Thriving on Chaos.* Nueva York, Alfred A. Knopf, 1988.

Theobold, Robert. *The Rapids of Change.* Knowledge Press, 1988.

Tichy, Noel y Mary Ann Devanna. *The Transformational Manager.* Nueva York: John Wiley, 1987.

Torbert, William. *Managing the Corporate Dream.* Nueva York: Dow Jones Irwin, 1986

Waterman, Robert. *The Renewal Factor.* Nueva York: Bantam, 1988.

Woodward, Harry & Steve Buchholz. *Aftershock.* Nueva York: John Wiley, 1987.

NOTAS

NOTAS

NOTAS

NOTAS

SECAP Sistema de
Excelencia y
Capacitación
Profesional

TÍTULOS DE LA SERIE 50 MINUTOS

TÍTULO

Calidad en el trabajo
Entrenamiento básico en ventas
El arte de la comunicación
La cortesía por teléfono y el servicio al cliente
Cómo comprender los estados financieros
Grupos de trabajo autodirigidos
Delegación eficaz de facultades
Dirección de los servicios de calidad al cliente
Profesionalismo en las ventas
Cómo influir en los demás
Cómo resolver problemas y tomar decisiones sistemáticamente
La satisfacción del cliente
Doce pasos hacia la autosuperación
Cómo desarrollar la autoestima
Cómo dirigir para lograr el compromiso
El nuevo supervisor
Guía para meseros (Guía para camareros)
Cómo negociar con éxito
Actitud
Calidad en el servicio al cliente
Administración de proyectos

VIDEOS

Calidad en el trabajo
Servicio de calidad para el cliente
Administración de proyectos
La cortesía por teléfono y el servicio al cliente
Actitud
Negociaciones exitosas

PARA ENVÍO DE CATÁLOGOS FAVOR DE ENVIAR LOS SIGUIENTES DATOS:

Nombre: _____   Empresa: _____

_____   _____

Dirección: _____   Dirección: _____

_____   _____

Teléfono: _____   Teléfono: _____

Fax: _____   Fax: _____

                                    Pedido No. _____

Para mayor información dirigirse a:

MEXICO

**Grupo Editorial Iberoamérica,
S.A. de C.V.**
Río Ganges No. 64
Col. Cuauhtémoc
06500 México, D.F.
Tels. 208 66 77, 511 25 17
525, 51 81

Librería Británica, S. A.
Serapio Rendón 125
Col. San Rafael
06470 México, D. F.
Tel. 705 05 85 Fax 535 20 09

COLOMBIA

**Grupo Editorial Iberoamérica
de Colombia, S.A. de C.V.**
Carrera 21 No. 54–78
Santa Fe de Bogotá, Colombia
Tels. 249 79 18, 310 68 17
Fax 310 65 53

VENEZUELA

Contemporánea de Ediciones
Av. La Salle, cruce con Lima
Edificio "Irbia". Locales 1 y 2
Urb. Los Caobos-Apdo. 20645
Caracas 1050, Venezuela
Tels. 782 31 13, 782 33 20
Telex 29105 ARMUN

ESTADOS UNIDOS

Crisp Publications, Inc.
95 first street
Los Altos, CA 94022
Tel. (415) 949-4888
Fax (415) 949-1610

ESPAÑA

Ediciones Juan Granica
Beltrán, 107
08023 Barcelona, España
Tel. 211 21 12 Fax 418 46 53

ECUADOR

Ediciencia, S.A.
Guarderas 951 y Jalil
Quito, Ecuador
Tel. 24 68 25 Fax 56 82 87

ARGENTINA

Ediciones Juan Granica
Lavalle 1634, 3°
Buenos Aires, Argentina
Tels. 46 14 56, 49 06 69

EN OTROS PAÍSES: CONSULTAR CON SU DISTRIBUIDOR O LIBRERÍA LOCAL.

ESTE LIBRO FUE IMPRESO Y ENCUADERNADO
EL 21 DE AGOSTO DE 2001 EN LOS TALLERES DE

FUENTES IMPRESORES, S. A.
Centeno, 109, 09810, México, D. F.